JN113022

若者へ贈るメッセージ集

──沖縄, キリスト教, 平和をベースに──

中原 俊明

沖縄タイムス社

まえがき

　このメッセージ集では，2012 年 4 月から 16 年 3 月まで，著者が沖縄キリスト教学院大学・同短期大学の学長を務めた 4 年間に，主として大学の行事の中に定例化された礼拝にて，学生と教職員向けに語ったメッセージの一部を収録した。

　同学院ではまだ建学の精神がきちんとした形で定められていなかったので，在任中にその骨格だけでも定めたいとの願いから，学内での検討を進め，建学以来の歴史，歴代学長の言説や諸活動等に依拠しつつ，①沖縄，②キリスト教，③平和，という三本柱を立て，その順序や肉付けは後に続く学長，教職員の皆さんに委ねて大学を後にした。

　私としては，在職中に担当した月曜礼拝のメッセージで努めてこのテーマを念頭に置きながら話をした。ただ，キリスト教に関しては，一信徒に過ぎず，説教として語る資格はないので，極力，社会や歴史の文脈

中で，学生諸君に分かりやすく橋渡しをすることを心がけた。なお，聖書の引用は原則として聖書協会の「新共同訳」（1987年）による。

　自らの足跡を振り返ると，30年にわたる琉球大学での勤務を終えて，2001年に定年退職し，引き続き，元琉大学長の砂川恵伸先生が学長を務める鹿児島県の志學館大学法学部にお誘いいただき，5年間務めることができキャンパス内外で良き出会いに恵まれた。その間，住まいは隼人町で，毎日，前に桜島，後ろに霧島連山を眺めつつ心豊かな時を過ごし，また鹿児島県民になった以上，多少ともその歴史にふれる努力もした。

　赴任直後に隼人町のあるホテルで食事をした折，そのホールで西郷隆盛の揮毫になる「敬天愛人」の掛け軸に初めて出合い，キリスト教的なものを感じた。昨年，「西郷どん」は，ＮＨＫの大河ドラマで話題になったが，数年前に読んだ佐高信著『西郷隆盛伝説』（角川学芸出版，2007年）中の記述が興味深いものだった。それによると，「当時の排外主義の嵐の中で，西

洋文化の本質は耶蘇（ヤソ＝キリスト）教にあると見抜いて，西郷は禁書の教典（聖書）を読んでいて」「西洋と交際するには是非耶蘇（キリスト教）の研究もしておかにゃ」（348頁）と言ったという。どれだけの人がこの声に耳を傾けてきただろうか。

　今，この国では，「開国以来，精神的鎖国が続いている」（評論家・加藤周一），「戦前の教育が形を変えて復活している」（政治学者・宮田光雄），「学校ファシズムの復活」（数学者・森毅）等々の声が聞かれる中，若者たちには自由な精神をもち，世界に通用する人材に成長して欲しいとの願いを込めて，専門外のキリスト教にも言及したつもりである。

2019年8月

もくじ

沖縄，キリスト教，平和

沖縄キリスト教学院 三つのキーワード

❖自ら学ぶ姿勢を

このたび，晴れて沖縄キリスト教学院の大学，短期大学，そして大学院へ入学された皆さんに対し，心からお慶びを申し上げますとともに，歓迎をいたします。どうぞ今の気持ちを大事に，悔いのない大学生活を送っていただきたい。そのために役立つことを願って，お話したいと思います。

まず，勉強の姿勢についてです。皆さんは小中高校までどちらかといえば，受け身的に学ぶことが多かったのではないでしょうか。それは，皆さんの責任というより，国の教育の仕組みによるところが大きいと思いますが。

さて，皆さんは，これから 2 年間または 4 年間本学で学んだ後には，社会へ出ていくことになります。そ

こではどんな職場であっても，多かれ少なかれ，その組織のために懸命(けんめい)に働くことが求められます。

それを考えると，大学の自由な空気の中で自分をしっかり見つめ，物の見方，考え方を作り上げておくことが大事になってきます。高校までと違って，大学では勉強を教えてもらうのではなくて，自分が主人公になって学ぶのです。

少し難しい表現になりますが，受け身的でなく能動的に，また一つの価値観でなく多角的，批判的に学ぶという姿勢が必要になります。多数意見であっても間違いがあるかも知れず，少数意見に真理や正義が宿っている可能性もあるのです。

私自身が座右(ざゆう)の銘(めい)としているこんな言葉があります。「批判精神を失ったら大学人として存在意義がない」と。これは大学教師だけでなく，学生の皆さんにもあてはまるはずです。

皆さん方の多くは，在学中に二十歳を迎えます。そして選挙権を得て国や地方レベルの政治に参加することになりますが＊１，これは国民として義務であ

＊１　2015年に選挙権の下限が満18歳となった。

2012年4月2日（2012年度入学式）

り，また権利です。若者の間にある政治的無関心に陥ることなく，この国が憲法の命じる平和の道へ進むのか，あるいは再び戦争の道へ進むか，皆さんは peacemaker の立場から注意深く判断し，選挙権を行使して下さい。

❖初代学長，仲里朝章先生の夢

ここで，皆さんが入学された本学院の歴史とアイデンティティーについてお話いたします。

本学院の創立は 1957 年ですが，当時沖縄キリスト教団という組織があり，そこでキリスト教主義の学校を作る計画が進められました。その教団の下に首里教会がありました。今も首里公民館の向かいにありますが，そこが本学院誕生の場所です。

当時首里教会の牧師さんは仲里 朝 章^{＊2}先生という方で沖縄キリスト教団の役員の一人でした。先生は，首里当蔵の出身ですが，戦前，第 7 高等学校（鹿児島）から東京帝大へ進み，その学生時代にキリスト教に触れ，東京の富士見 町 教会で洗礼を受けてクリスチャンになったのです。

沖縄戦の時，那覇商業学校の校長を務めており，当

時の国策に従って，国のために命を捧げよ，という教育に従事し，沖縄戦では，学生たちとともに島尻で戦さを体験し，艦砲弾の破片を頭部に受けて九死に一生を得たのでした。

　戦後，先生は教え子たちを戦場へ送ったことを深く悔い，生き残って訪ねてきた教え子たちへ頭を垂れて謝罪しました。アメリカの宣教師クライダーさん等の協力もあって，この学院の創設に力を尽くし，1957年にその初代の学長になりました。そのお名前は，現在，本学のチャペルの名称として残されています[*3]。

　＊2　1891年〜1973年。沖縄キリスト教短期大学（当時）初代理事長・学長。首里教会牧師，沖縄キリスト教連盟・沖縄キリスト教会各理事長として貢献。沖縄ＹＭＣＡの設立にも尽力。本書143頁に写真掲載。
　＊3　仲里朝章記念チャペル（写真参照）。月曜礼拝もこのチャペルで行われ，チャーチオルガン，同時通訳設備等が備わっている。

2012年4月2日（2012年度入学式）

仲里先生がこの学院に託した夢は，キリスト教精神で若者たちを教育して，平和な沖縄を復興させることでした。沖縄とキリストという二つの言葉は本学院の名前となり，平和はその二つから導かれますが，これら三つのキーワードが建学の精神であり，本学の教育のアイデンティティーといえます。

❖キリスト教精神に基づく教育

　そこで今述べた三つの項目にもう少し触れます。

　第1に，「沖縄」ですが，皆さんにはぜひとも沖縄の歴史と現状にこだわって欲しいと思います。日本の辺境に位置し，かつては琉球王国を築いて周辺諸国と武力でなく文化，芸能，交易によって平和を維持しました。同時に昔から日本全体のために利用されたつらい歴史があり，現在もその状態が続いています。

　第2に，「キリスト教」ですが，日本では，昔から圧迫された歴史もあって，クリスチャンの数は今も少なく，ほぼ100人中1～2人の割合です。しかし，キリスト教は2千年余の歴史をもつ世界最大の宗教で，今地球上では20億以上，つまり3人に一人がクリスチャンです。そして世界の学問，文化，芸術，な

どあらゆる分野の根底にあります。

　キリスト教は、皆さんを内向きでなく、広い世界へ案内してくれるはずです。そのキリスト教の中心にあるのが、聖書＝ Bible です。それは古今東西で永遠のベストセラーですが、皆さんもぜひ親しんでほしいと思います。

　日本では、しばしば宗教はどれも同じで、ちょうど富士山に登るのに、御殿場口もあれば、富士の宮口もあり、登ってしまえば頂上では同じ、といった言い方を耳にします。でもキリスト教は、ほんとうは違います。

　聖書のヨハネによる福音書の第 14 章 6 節にキリストご自身の言葉として、こう書かれています。「わたしは道であり、真理であり、命である。わたしを通らなければ、だれも父のもとに行くことができない。」と。ここで父とはキリスト教の神様のことです。

　この大学では学則といって大学の憲法のようなものがありますが、その冒頭で「キリスト教精神に基づく教育をなす」と規定しています。これは大学から皆さんと社会全体に対する約束であります。本学以外の県内のどの大学でも学べないキリスト教に出会い、なじ

んで下さい。

　第3に,「平和」についてですが,大勢の人間の命が一度に失われる出来事として,大きく二つの場合があります。天災と人災です。

　まず天災というと,去年の東日本大震災では地震,津波,そして関連して終わりの見えない原発事故などがありますが,約2万人の死者行方不明者を出したといわれています。沖縄でもそのために多くの人たちが今も祈り,支援の輪を広げていますし,本学からボランテイアとして救援活動に参加した学生たちもあります。

❖平和を「実現」する人に

　他方,人災のうち最大のものは戦争です。昨日,4月1日は,今から67年前に米軍が慶良間諸島に次いで,沖縄本島に上陸し,全県が沖縄戦に巻き込まれることとなった日です。

　その結果,東北の犠牲者のほぼ10倍に当る約20万の命が失われました。さらに太平洋戦争では日本全体でその10倍の200万から300万人の命が失われました。この数字自体が戦争のむごさと平和の必要性

を訴えていますが，さらに戦後から今日に至るまで軍事基地の島としての沖縄の現実が平和の大切さを教えています。

　聖書には，「平和を実現する人々は，幸いである。その人たちは神の子と呼ばれる。」（マタイによる福音書5：9）とあります。ここでは，平和を単に祈るとか，希望するとか，愛する，という言葉でなく，実現する，英語で make，つまり人間の行動を予定する表現になっていることに注意したいと思います。

　本学院の1万数千人にのぼる卒業生たちは，社会の各分野で活躍し，本学の評価を高めています。皆さんも，本学特有の三つのキーワード，「沖縄，キリスト教，平和」をしっかり心に刻んで，それぞれ英語や，異文化理解や，幼児教育を学び，平和な世を築く働き人として先輩たちのあとに続いてほしいと願っています。皆さんの上に神様の祝福と導きをお祈りして入学式の式辞といたします。

2012年4月2日（2012年度入学式）

神を畏れることは知識の初め

日本にはなじみのない「絶対神」という考え

箴言　第1章

¹ イスラエルの王，ダビデの子，イスラエルの王ソ
　ロモンの箴言。

² これは知恵と諭しをわきまえ
　分別ある言葉を理解するため

³ 諭しを受け入れて
　正義と裁きと公平に目覚めるため。

⁴ 未熟な者に熟慮を教え
　若者に知識と慎重さを与えるため。

⁵ これに聞き従えば，賢人もなお説得力を加え
　聡明な人も指導力を増すだろう。

⁶ また，格言，寓話
　賢人らの言葉と謎を理解するため。

⁷ 主を畏れることは知恵の初め。
　無知な者は知恵をも諭しをも侮る。

❖新教＝プロテスタントとは

　今朝は，旧約聖書の箴言第 1 章 1 〜 7 節をベースに
「神を畏れることは知識（知恵）の初め^{＊1}」，そうい
う題でお話します。

　私自身は牧師でもなく，キリスト教神学を学んだわ
けでもないごく普通の一信徒にすぎませんが，今朝
は，私流の仕方でちょっぴり聖書の勉強を学生の皆さ
んとご一緒したいと思います。

　皆さんはキリスト教には，カトリック，つまり旧教
と，プロテスタント，すなわち新教があるのはご存知
でしょうか。私たちのキリスト教学院は，プロテスタ
ントの流れに属しています。プロテスタントというの
は，16 世紀初め，ドイツのマルチン・ルター^{＊2}の宗
教改革から生まれたものです。さらに，キリスト教の

＊ 1　山里勝一牧師によれば、ウチナーグチでは,「神うすりーし
　　え，物（むん）なれ―のはじみ」となるそうです。
＊ 2　1483 〜 1546 年。ドイツの宗教改革者。ローマ教会による免
　　罪符発行を批判, 宗教改革のさきがけとなった。

教典というべき聖書には，旧約聖書と新約聖書があります。すると何となく，カトリック教会は旧教だから旧約聖書を使い，プロテスタントの教会は，新約聖書を使うというふうに誤解している人たちがありますが，それは違います。どちらも両方の聖書を使うのです。

　それから，世界史の時代区分で，B．C．とA．D．がありますが，この意味も知っているでしょうか。これは，西暦と呼ばれ，ほぼ世界共通のものです。因みに日本の元号（昭和や平成など）は，別名天皇歴と呼ばれ，日本国内でしか通用しないのに対し，西暦は国際歴とも呼ばれます。さてその西暦は，キリストを基準にして二つに分けられ，B．C．は，before Christ，つまりキリスト誕生以前を指すし，A．D．は，ラテン語だそうですが，Anno Domini（主の年），つまり，キリスト誕生以後を指すわけです。今年は，A．D．2012年ですから，キリスト以後 2012 年経ったという意味です。正確には少しずれがあるようですが。

❖日本人はキリスト教を勉強すべき

　さて，最近読んだ面白い本があります。それは橋爪

大三郎という東京工業大学の先生と，大澤真幸という京都大学の先生の対談をまとめた『ふしぎなキリスト教』という本です。おふたりとも宗教社会学という分野の専門らしいのですが，この本がいまベストセラーとなり，今年の新書大賞を受賞したのだそうです。

　その中で，キリスト教は二段式ロケットみたいなものだという面白い説明があります。つまり，今から３千年以上前に，最初にユダヤ教があったが，その千年後，つまり今から約２千年前になって，ユダヤ教を一方では否定しつつ，他方では温存するという仕方でキリスト教が出て来た。つまり，イエス・キリストの誕生によってユダヤ教の宗教改革が起こり，キリスト教が出来上がったというのです。

　このお二人が聖書を丹念に研究した人であることは確かですが，クリスチャンかどうか，本では何とも書かれていません。最後のあたりで，キリスト教に対するこんなコメントがあるので，紹介しておきましょう。「キリスト教を踏まえないと，ヨーロッパの近代や現代の思想の本当のところが分らない。現代社会も分らない。日本人がまず勉強すべきなのは，キリスト教ではないか」と。これは，とても大事な指摘だと思

2012年4月23日

います。

❖ソロモン王の光と影

　さて，今日の聖書の箇所は，旧約聖書です。箴言<ruby>しんげん</ruby>という難しい標題のついた旧約聖書 20 番目の文書です。箴言<ruby>しんげん</ruby>とは，ある英語の聖書では，Proverbs となっていて，その説明としては，collection of moral and religious teachings とされ，道徳的，宗教的な教訓集といった意味になります。これは誰によって，いつ，何のために記された文書なのでしょうか。

　それに触れる前に，もう亡くなりましたが，北海道の女流作家である三浦綾子[*3]さんのことを思い出します。彼女は，「聖書は難しい」という人に対して，旧約聖書の「箴言を読んでみなさい」と奨めるそうです。これも難しいという人々には，「もう読書意欲がないと思うしかない」とまで言っています。それほどまでに，旧約聖書の中では，読みやすい，分りやすいと考えられていますので，皆さんもいつか通して読んでみるといいと思います。きっとなるほど，とうなずく場面がけっこうあるはずです。

　さて，有名なダビデ王[*4]にソロモンという息子が

いました。彼は，今から約３千年前，正確には紀元前
（B.C.）961年に父親の跡を継いで，イスラエルの王
になった人ですが，この箴言の大部分は，彼によって
書かれ，何世紀かあとに別の人によって書き加えられ
て完成したといわれています。

　ソロモン王は，知恵に長けていて，彼のもとで国が
栄え民も幸せになったとされますが，反面では贅沢な
宮廷生活をおくり，多くの妻やそばめをおいたり，軍
備を増強して隣の国々を征服したりしました。

　だから，のちにキリストご自身からは，ソロモンの
栄華，つまり豪華絢爛たる世界よりも，素朴な野の花
の美しさが優るというふうにいわれたのです（マタイ
による福音書6：29）＊5。

　＊3　1922～1999年。旭川市生まれ。戦後間もなく肺結核と脊椎
　　　カリエスを併発し闘病生活，その病床でキリスト教にに目覚め
　　　洗礼を受ける。1964年に朝日新聞の1千万円懸賞小説に『氷
　　　点』が入選。その他の作品に『塩狩峠』など。旭川市には三浦
　　　綾子記念文学館がある。
　＊4　エルサレムを占領し統一イスラエル王国（イスラエル・ユダ
　　　連合王国）を築く。すぐれた武人であるとともに，音楽，詩歌
　　　にも秀でていたといわれる。
　＊5　マタイによる福音書第6章29節「しかし，言っておく。栄
　　　華を極めたソロモンでさえ，この花の一つほどにも着飾っては
　　　いなかった。」

2012年4月23日

神様に愛されていても人間は，結局，決して完全無欠でなく，弱点があり，人間臭い側面をぬぐい去ることができないものです。聖書の中の人物像も，修正して完璧なものにしたりせず，そのまま正直に記したところがかえって信頼を生むのではないかと思います。

　つまり，聖書は必ずしもきれいごとばかり書かれているわけではないのですね。

❖「畏れ」と「恐れ」の違い

　さて，いつの時代でも，皆さんのような若者は，いいことにも，悪いことにも影響されやすいですし，特に悪い誘惑にとらわれて取り返しがつかなくなる危険だってありうるのですね。だから，自分の人生を大切にしたいと思っている若い人たちは，「どうすれば，自分自身を清く保つことができるか」ということを考えるはずです。

　詩編119編9節によると，「どのようにして，若者は　歩む道を清めるべきでしょうか。」という問いが投げかけられていますが，今日の箴言の中に，それに対する一つの答えが示されていると思います。第1章の始めの部分では，未熟な者や若者たちに関して，正

義と公平と知識と慎重さが説かれているし，7節は最も重要なところであり，今朝のメッセージの題にしましたが，「主を畏(おそ)れることこそ，知恵（または知識）の初(はじ)め」と述べています。

　ただ，「畏(おそ)れる」という言葉は，日本語でもいくつかの意味があります。ある解説書によりますと，ここでは奴隷とその主人の間で生まれる恐ろしさや恐怖の感情ではなくて，ちょうど子どもが父親に対して抱く畏敬(いけい)の気持ち，尊敬を伴った心情を意味し，神様への畏れはそのようなものと説明されています。

❖おごり高ぶる司令官

　しかし，この世の中には，神を畏れない人たちや，自分が神様になろうとしたりする者がいるのも確かです。

　このキリスト教学院の初代学長で，このチャペルの名前になっている仲里 朝 章(なかざとちょうしょう)*6 先生が首里(しゅり)教会の牧師をしておられた時，その説教の中で聞いた話がありました。私の記憶は正確ではありませんが，大体こん

　＊6　10頁を参照

な話だったように思います。

太平洋戦争の最中に、山下奉文という日本軍司令官が部隊を率いて、当時イギリス領だった今のシンガポールへ攻め込んで、占領し、捕虜になったイギリス軍のパーシバル司令官に対し、降伏するのかしないのか、イエスかノーかと迫ったという有名な場面があります。

その時、イギリス軍の司令官は、負けても軍人のプライドがあったのでしょう、「我々は神以外の何ものも畏れない」といったそうです。すると、山下司令官は、「われわれはその神すらも畏れない」といったというのです。イギリスの司令官はどう思ったのでしょうか。おそらく、それを勇気ある日本の軍人として感銘を受けたというよりも、おごり高ぶった軍人と思ったのではないかと思います。

❖崇拝を強要したヒットラー

次に、人間が神様になろうとする場合を考えてみましょう。特に、一国の政治指導者に起こりがちです。二つの例をあげます。

第1には、ドイツのヒットラーです。ナチスの独裁

的な政治の下で，すべてクリスチャンは「ドイツ的キリスト者」になることが要求されました。そして自ら神様のようになったヒットラーへ忠誠を尽すことが求められたのです。ドイツの子どもたちも，同様で，いつも食事の前には次のような祈りを唱えなければなりませんでした。

「総統（ドイツ語でヒューラーといいます），総統よ，神から私に与えられた私の総統よ，あなたはドイツを深い苦難から救い出して下さいました。私は今日もあなたに私の日ごとのパンを感謝します。どうか私のそばにいつまでも留まり，私を去りませんように，総統，私の総統，私の信仰，私の光，私の総統，万歳！」。

本当は，この内容は神様へ捧げられるべき祈りですが，その神の座にヒットラーが座ったわけですね。

❖弾圧されたクリスチャン

第2に似たようなことは，戦争中の日本でもありました。つまり，当時，天皇が神とされていました。当時の言葉で「現人神」あるいは「現御神」と呼ばれ，国民全員に神として拝むことが強制されました。そし

2012年4月23日

て，キリスト教徒もちょうどドイツと同じように「日本的キリスト教徒」になることが求められました。

　当時，役所や学校や会社などあらゆるところで「国民儀礼」という儀式が実施されました。その内容は，国旗掲揚と国歌斉唱から始まって，宮城（＝皇居）遥拝（宮城に向かって拝む），そして天皇のために戦死した人々に黙祷を捧げるわけですが，私自身も小学校でこれを経験した世代です。教会の礼拝でもこれが強制的に実施されたそうで，ちゃんと守られているかどうか，調べるために当時の特高警察が礼拝の中に入ってきて，監視したそうです。

　そんな状況の中で，クリスチャンたちは，どうしたかというと，これに積極的に協力し推進する側にまわった人たちがあり，また弾圧を逃れるために渋々これに従った人たち，さらに少数ながら抵抗した人たちなどがありました。

　こうして，天皇を神様とする考え方についていけなかったり，日本が引き起こした戦争に批判的だったのが，少数のキリスト教徒と社会主義者と呼ばれた人たちでしたから，当時の警察の取締と弾圧のターゲットは，アカとヤソと言われました。服従しなかった人た

ちは思想犯として，犯罪人にされました。

　戦後になって，その間違いが明らかになりましたが，こんな時代が再びあってはならないと思います。

　キリスト教では，旧約聖書の中のモーセの十戒*7の一つとして，「私の他何ものをも神としてはならない」とあって，いわゆる偶像崇拝を禁じています*8。偶像とは，人間が作った像ですが，これを拝んではならないとの教えです。

❖日本人にとっての神とは

　さて，ここで神とはなんでしょうか。その前に，日本人にとって，神とは何か。二つの場面があるように思われます。

　第1に，人間を神様にしてしまう考え方がありま

---

*7　モーセ（モーゼ）が神から与えられたとされる10の戒（いまし）め。最初の四つは、神様と人間の関係、残りの六つは人間同士の関係の戒め。旧約聖書の出エジプト記20章と申命記5章に記されている。モーセの誕生からエジプト脱出までを描いた1956年の映画「十戒」（セシル・B・デミル監督）も有名。

*8　出エジプト記第20章3節「あなたには，わたしをおいてほかに神があってはならない。」，同4節「あなたはいかなる像も造ってはならない。上は天にあり，下は地にあり，また地の下の水の中にある，いかなるものの形も造ってはならない。」

す。昔は軍神という言葉があったし，今は例えば野球の神様やトイレの神様があり，あるいは「お客様も神様」というふうに無造作に神様が作られてしまいます。靖国神社では天皇のために戦死した兵士たちが神様になるという考え方ですね。

　第2に，多重信仰（syncretism）と呼ばれる風習があります。つまり，多くの日本人は普段，神をあまり意識しないで暮らしていますが，正月を迎えると初詣は神社で，結婚式は教会で，葬式はお寺で，という風に神様に役割分担させて利用しています。この辺は，外国人，特に一神教の国々の人たちには理解されにくいところだろうと思います。

❖イエスは神の具現化

　キリスト教の神は，天においでになる唯一の神であって，その姿は見えないが，この世に見える形で送られたのが，神様の子といわれるイエス・キリストということになります。つまり，神のイメージは，キリストによって具体的に表されており，私たちは，キリスト以外に神をイメージすることがあってはならないといえます。

むろん，キリスト以前，つまり，旧約聖書時代の神は，アドナイとかヤーウエと呼ばれ，それは「わたしはある」という意味とされていますが，新約聖書の時代になると，人格をもった唯一の後継者としてキリストを考えることになると思います。

　ただ，現代において，残念ながら，キリストという看板を掲げた宗教がすべて間違いないかといえば，そうではなくキリスト教を名乗りながら，実は人間の冒（おか）しうる最大の罪である戦争を肯定（こうてい）したり，反社会的な経済活動をしたり，人々をマインドコントロールして誤った方向へ誘導したり，われこそはキリストの生まれ変わりだと名乗ったり，皆さんにお奨（すす）めできない本物でないキリスト教がありますので，注意が必要です。もしも何か変だと感じたら，必ず本学院の専門家である宗教部の金先生や青野先生[9]に相談して下さい。

❖神様はいつも見ている

　ここで，箴言（しんげん）に戻って「主（しゅ）」つまり神を畏（おそ）れること

---

[9]　金永秀・人文学部教授，青野和彦・宗教部長（当時）

こそ，知恵または知識の初め，基だと記されていますが，それはあくまで，天におられるキリストの父，あるいは母である唯一の神を指すのです。それ以外であってはならないということです。ここが八百万の神々を信仰する日本の伝統的な宗教と違うところです。

　それは，キリスト教では，唯一の神を絶対化する反面で，それ以外をすべて相対化することを意味します。この世の中でどんなに権威ある人でも，また立派な業を成し遂げても，その存在は神の前では相対的で，不完全な価値しかないわけです。

　また，日曜日の教会学校あたりで，子どもたちによく教えることは，そばに誰もいなくても，神様はいつでもどこでも皆さんを見ていて下さるよ，といって神様の存在，神様を畏れる気持ちを育てようとします。一般に，日本の社会では，神様というより，人目を気にします。そして人目にふれさえなければいいといった感覚になりがちです。このように成長した大人たちが，人目を欺いて汚職や犯罪へ走ってしまうのではないかと思います。

　皆さんには，ぜひともまことの神様に出会い，そして，その神を畏れる心を根付かせてほしいと願ってい

ます。

信仰，平和，そして憲法

神様から送られた招待状

出エジプト記 第 20 章

3 あなたには，わたしをおいてほかに神があっては
ならない。

マタイによる福音書 第 5 章

9 平和を実現する人々は，幸いである，
その人たちは神の子と呼ばれる。

❖ **「絶対の神」がキリスト教の根幹**

　沖縄では 6 月に慰霊の日があり，本土では「8 月
は，6 日，9 日，15 日」といわれるように，いずれ
も戦争と平和の問題を考える月ですが，7 月はその間
にはさまれて，私たちは自然と同じテーマに向き合う
ことになります。そこで今朝は，キリスト教の信仰と
平和，そしてわが国の憲法を結びつけて話したいと思

います。

　まず，旧約聖書の中のモーセの十戒^{＊1}の冒頭で「あなたには，わたしをおいてほかに神があってはならない。」（出エジプト記20：3）と記されていますが，これでキリスト教がいわゆる一神教であることを示してます。つまりキリストをこの世に遣わされた唯一絶対の神となし，同時にそれ以外をすべて被造物，あるいは偶像として相対化する教えであり，キリスト教の根幹をなす部分です。

　しかし歴史をみると，古今東西でこの世の権力者は，しばしばそんなキリスト教が気に入らず，自分自身が神になろうとしたり，あるいは偶像を作ってそれを拝むことを人々に強制したりしました。例えば，旧約聖書の中のバールの神や，ネブカデネザル王の作った金の像，ローマ時代の皇帝たち，20世紀には，戦争中のナチスのヒットラー，そして日本で現人神とされた天皇等がその例です。そしてそれに従わない人たちは，きびしく弾圧されました。

　　＊1　27頁参照

2012年7月23日

❖ナチスの本性見抜けず

　実際にドイツと日本で起こった歴史から拾ってみます。まず，ドイツでは1930年代から40年代にかけてヒットラーという独裁者が君臨し支配したのは皆さんもよくご存知でしょう。第一次大戦にやぶれて閉塞感に覆われていたドイツで，彼は救世主のように迎えられ，約90％の高い支持で政権の座につきました。しかし，まず彼がやったのは，一元化政策（Gleichschaltung）といって，ナチスの独裁体制を作り上げるために，邪魔なものを一つずつ取り除いていきました。

　第1に全権委任法という法律を作って議会を骨抜きにし，次に共産党を手始めに社会民主党その他の野党を，そして労働組合，さらに地方自治に至るまでつぶしていきました。

　そして思想，信仰の自由にも弾圧を加えましたが，ただ，ドイツはもともとキリスト教の国なので，ナチスも最初は教会に対しては表面上友好的な態度をとりました。教会の側でもナチスにどう対処すべきかあまり準備ができてなく，例えば後に反ナチスのドイツ教

会闘争のリーダーとなったマルチン・ニーメラー牧師さえも，ナチスの本性を見抜くことができず，初めはヒットラーを賞賛し歓迎したそうです。

　しかし，ナチスはだんだんと本性を現し，国家に忠実な「ドイツ的キリスト教会」へ作り替える政策が推し進められたとき，すでに時は遅く教会の大多数は「政治的な問題は教会が関わるべきでない」といってナチスの思惑通り「ドイツ的キリスト者」になり，神のように奉られたヒットラーに忠誠を尽くすようになってしまいました。

❖身を投じたボンヘッファー牧師

　しかし，そんな中でもキリスト者として信仰に堅く立ち，勇敢にナチスに立ち向かった人たちがいました。その一人が，ボンヘッファー牧師[*2]でした。彼

　＊2　ディートリヒ・ボンヘッファー。ドイツのプロテスタント神学者・牧師。早くから反ナチスの抵抗運動を続けて逮捕され，1945年4月9日に処刑された。享年39歳。獄中での遺稿は戦後出版され，現代の教会と神学に大きな影響を与えている。『ボンヘッファー─反ナチ抵抗者の生涯と思想』（宮田光男著，岩波現代文庫，2019年）や『はじめてのボンヘッファー』（船本弘毅著，教文館，2015年）などで，その生涯や思想を知ることができる。

2012年7月23日

は21歳で神学博士号をとるほど優れた神学者でもありましたが，ナチスの危険な本質をいち早く見抜き，その暴走に歯止めをかけるため命がけでヒトラー暗殺を含む抵抗運動に加わりました。しかし逮捕され，拷問（ごうもん）にかけられてチェコ国境に近い強制収容所で処刑（しょけい）されました。

　彼は祈りつつ，教会のとるべき態度をこう言いました。「車輪の下敷きになった犠牲者を助ければそれでよいのではなく，自分で車輪の下に身を投じて暴走する車そのものを阻止する責任がある」と。

　戦後，1945年にはニーメラー牧師らによってシュツットガルト宣言が出されましたが，それはナチスの支配の中で大胆に信仰を守ることができなかったことに深い懺悔（ざんげ）と罪の告白を含む内容であり，ドイツの教会はここから戦後の歩みを始めたといわれています。

❖踏み絵を強要されたキリスト教徒

　他方，日本ではどうだったでしょうか。戦前の明治憲法28条では一応信教の自由が保障されてはいましたが，それはあくまで条件付きでした。つまり「安寧（あんねい）秩序を妨げず，臣民（しんみん）（国民の意味）としての義務に背

かない限り」というものでした。当時の政府は，憲法に真っ向から反するのを避けるために，神社や神道は「宗教ではない」といって，国民に事実上参拝を強制していきました。

　1941年（昭和16）には，国民の自由を奪うことになる重要な二つの法律が作られました。一つは宗教団体法といってキリスト教を含むすべての宗教を国家の統制の下におくものでした。今日プロテスタント最大の組織であり，本学とも関係の深い日本基督教団もその結果できた団体です。さらに，「治安維持法」という法律もできましたが，これは天皇を頂点とする国家の体制（当時，国体と呼んだ）を否定したり，天皇の尊厳を冒瀆する者に厳しい刑罰を課すことをねらったものでした。

　そんな中，「私のほか何ものも神としてはならない」という先ほどのモーセの十戒の教えと正面からぶつかることになり，キリスト教徒たちは，神社参拝によって踏み絵を強制されることになりました。しかし，この国でも日本基督教団に属する多くの信徒が，権力から突きつけられた踏み絵を踏んで「日本的キリスト教」になる道を選びとり，国民儀礼に励みました。

2012年7月23日

国民儀礼とは，礼拝の場でも日の丸の国旗を掲げ，君が代の国歌を歌い，神である天皇に向かって宮城遙拝（皇居を拝むこと）をすることでした。各教会の礼拝には特高警察が入ってきて一部始終を監視したのです。そして 1942 年には日本キリスト教団のトップであった富田満という人は，天皇の祖先を祭る伊勢神宮の参拝までしました。

❖東大を追放された矢内原忠雄

　それだけでなく，日本基督教団は 1944 年に，当時の大東亜共栄圏（今で言うアジア）の教会へ手紙を送り，日本の引き起こした戦争がいかに正義に叶うものかを訴えたのです。つまり，英米という敵国が白人優位の思想に立ってアジアの土地を奪い，人々を奴隷にしようとしており，日本はこの悪魔（サタン）の狂暴に対して正しい戦さ（聖戦）を挑んでいる，といった調子です。

　こうして国全体が狂気に支配された状況の中でも，キリスト者の良心を守ろうと抵抗した少数の人たちがいました。例えば，神社への参拝を拒否したホーリネス教会が治安維持法違反で迫害をうけ，牧師や信徒で

獄中で亡くなった人たちがありました。

また，こんな国のあり方を厳しく批判した人もいました。例えば，当時東大の教授だった矢内原忠雄[*3]の場合，講演の中で，こう述べたのです。「正義と自由と平和を重んじない日本は，一度葬られなくてはならない」と。するとたちまち非国民，国賊として迫害され，東大を追放されました。

その矢内原は，内村鑑三の弟子で無教会派のクリスチャンであり，戦後２代目の東大総長を務めた人です。彼は「平和憲法こそ神様からの贈り物」と述べた人です。この国に再びそのような暗黒時代がやって来るのを許してはいけないと思います。

❖平和が壊れれれば信仰の危機

次に信仰と平和が密接に関わるという話をします。

キリスト教は，平和を重んずる宗教であり，皆さん

[*3]　1893〜1961年。旧制第一高校在学中に内村鑑三主催の聖書研究会に入門，東大入学後は吉野作造や新渡戸稲造の影響を受けた。無教会主義は内村が提唱した日本独特のキリスト教信仰のあり方。『評伝矢内原忠雄』関口安義著，新教出版社，2019年）や『矢内原忠雄―戦争と知識人の使命』（赤江達也著，岩波文庫、2017年）などが参考になる。

2012年7月23日

もよく知っているように，聖書には「平和を実現するする人々は幸いである」（マタイによる福音書5：9）とあります。平和が壊れるとき，多くの人々が命を失い，傷ついたりしますし，信仰も大きな試練あるいは危機にさらされます。

　聖書では，平和を愛するとか，祈るといった表現でなく，あえて「実現する」という強い言葉になっていることに注意して下さい。それは人間の行動，アクションを予定しており，平和は行動によってもたらされることを聖書は示しているわけです。

　イギリスのグラスゴー大学の有名な聖書学者であるウイリアム・バークレー教授は，平和について次の二つのことを強調しています。第1に，平和は問題を避けることなく，正面から取り組み，どんな苦難にも立ち向かうことで初めて実現できる，だから，私たちが平和の課題を「政治問題」とか「社会問題」といって逃げてしまうと平和は実現できないわけです。

　第2に平和は単に争いのない状態とか，個人の内面的な心の平安とかでもなく，人と人との間の正しい関係と同時に人と神との正しい関係でなくてはならないといっています。すると，単に戦争がない状態だから

平和というわけでなく，神様の目からみて正しい状態
かどうかが問われることになります。

　平和学の世界的な権威者で，スウェーデンのガルトゥ
ゥング[4] さんという学者が，かつて沖縄を訪れた時，
その講演を聞きましたが，彼は沖縄に戦争そのものは
なくても，軍隊がいることによって住民の自由や人権
がないがしろにされ，女性への性的な暴力さえも頻繁
に起きている状況を見て「構造的暴力」が存在してお
り，それは平和と呼べる状態ではないと言いました。

　いま沖縄の県民大多数の反対を押し切って，危険な
オスプレイ配備[5] を強行する状況も平和とは逆の行
動といえるでしょう。また歴史を振り返ると，戦争の
ない状態が平和だったかといえば，実はそれが次の戦
争の準備期間であったりしました。だから戦争のない
状態に安心してはならないし，絶えず目を覚ましてい
る必要があります。さきに見たように，平和が危うく

　　[4]　ヨハン・ガルトゥング。97 頁[6]参照。
　　[5]　米軍の垂直離着陸輸送機オスプレイはこの年の4月にモロッ
　　　コ，同年6月に米フロリダで相次いで墜落事故を起こしており，
　　　安全性への懸念が高まっていた。9月9日には県民大会が開か
　　　れ，参加者10万1千人（主催者発表）が配備反対を訴えたが，
　　　10月1日に強行配備された。

2012年7月23日

なるとキリスト教の信仰も危うくなるのです。だから信仰と平和は密接に関係しあっているわけです。

❖基本的人権は侵してはならない

　ここで憲法のことにふれておきます。

　近代国家の土台は，憲法という法律によって支えられています。

　憲法は二つの部分から成り立っています。すなわち，国民のための権利章典と国家の統治制度です。後者は41条以下に規定された三権分立制度です。前者はわが国の憲法では，第3章（10条から40条まで）で，その中に大変重要な思想・良心の自由や信教の自由が含まれています。

　その権利章典は誰に向けられているか，つまり名宛人（addressee）は誰かというと，それは国民ではなく，政府，つまり公権力なのです。どの国の歴史を見ても国民の自由や権利を侵してきたのは，政府，つまり公権力ですね。

　だからこの権力が国民の自由や人権を侵さないように，手足をしばり，囲いの中に閉じ込める働きをするのが，憲法なのです。この点を誤解している人たちが

いて憲法を改正して国民にいろんな義務を課すべきだといっていますが，それは間違いです。

　では憲法には国民の義務を定める規定が全くないかといえば，例外的に三つだけ，すなわち，納税，教育，労働の義務が規定されていますが，それはいずれも権利を支えるために必要な義務なのです。繰り返しますと，憲法は国民や市民が自由に加入脱退できない国家や市町村などの公権力に対して，基本的人権を侵してはならないと義務づけているのです。

❖自由意思で生じる責任と義務

　では私人同士の権利義務はどこで決まるかといえば，それは契約に任せるという建前です。私立の大学や民間の企業などでは，憲法でなく，契約自由の原則が支配しており，誰と契約するか，どんな契約をするか，すべて私人の自由意思と自己決定に委ね，契約した以上は守る義務が生じ，違反があればその責任を問える仕組みです。

　繰り返しますが，私人対私人の関係では憲法の適用がなく，いやなら契約しないか，脱退すればいいという建前です。だからもしもクリスチャンが仏教系の大

2012年7月23日

学に勤めて自分の信教の自由を主張して訴えても，裁判所はいやなら辞めればいいでしょうという判決を出すはずです。

　人間の自由意思は，実は神様からの贈り物なのです。神様は人間をロボットのようにはお作りになりませんでした。しかし自由意思で決め，行ったことには責任が伴うこともまた神様の意図でした。

　旧約聖書の創世記第2章の中で，神様との約束を破って禁断の木の実をたべたアダムとエバは，エデンの園から追放されて自らの責任をとらされたわけです。自分の意思と他者の意思の境界を示す英語の面白い表現があります。こうです。

　You can lead a horse to water but you can't make it drink.

　その意味は，あなたは馬を水辺まで連れて行くことはできるが，水を飲ませることまではできない，となります。

　キリスト教精神を建学のスピリットとする本学院では，先生方も職員も力を合わせて学生の皆さんを水辺まで連れて行きます。でも水を飲むことまで無理強いはしません。クリスチャンになることを強制はしない

し，そこから先は神様の業に委ねるべきです。いま，皆さんの前には神様から送られた信仰と平和への招待状が置かれていると思って下さい。それを開封するかどうか皆さんの自由意思で決めて下さい。

この世と妥協しない

なし遂げた3人の「キリスト者」

ローマの信徒への手紙第12章

²あなたがたはこの世に倣ってはなりません。むしろ，心を新たにして自分を変えていただき，何が神の御心であるか，何が善いことで，神に喜ばれ，また完全なことであるかをわきまえるようになりなさい。

❖ダマスコ途上のパウロの回心

　皆さんは，いま独裁的なアサド政権の下で内戦状態となり＊¹，多くの国民が苦しんでいるシリアという国の名前を聞いたことがあると思います。そのシリアの首都の名前を知っていますか？　ダマスカスですね。ダマスコともいいます。この名前は旧約聖書の中

のアブラハムの時代から登場する古い地名ですし、現存する世界中の都市の中で最も古い街の一つといわれています。

　さてその街が一躍有名になったのは、パウロ（英語読みではポール）というキリスト教の伝道者（でんどうしゃ）の出現と関わりがあるからです。パウロは、実はもともとユダヤ教をしっかり学んで身につけ、その教義に反することを教えているキリスト教を取り締まり、弾圧（だんあつ）する側のリーダーとして働くことを自分の使命と信じて活躍した人物でした。

　イエス・キリストが十字架で処刑（しょけい）されたあと、ということは紀元後30年前後に、パウロはキリスト教徒迫害（はくがい）という自分のミッションを果たすために、ダマスコの街へと向かっていました。するとその途中で突然復活後のキリストと不思議な出会いを経験し、今までの迫害者から今度はキリスト教の宣教者へと180度の大転換をします。「ダマスコ途上（とじょう）の回心（かいしん）」と呼ばれ

*1　2011年にシリアで起こった反政府デモにアサド政権が武力弾圧。「イスラム国」（ＩＳ）など過激派組織も入り乱れ、さらに米国主導の有志連合やロシアも軍事介入し、現在も泥沼化している。内戦勃発から8年の2019年3月15日、ＮＧＯ「シリア人権監視団」はこれまでの死者37万人以上と発表した。

2012年10月22日

る有名な出来事です。

　クリスチャンになった彼の働きは偉大で，27 巻からなっている新約聖書の中で 10 余りが彼の書いた書簡〔しょかん〕，つまり手紙で成り立っています。彼は，地中海沿岸を伝道〔でんどう〕旅行しながら教会を次々に建てて，それまでユダヤの国に限定されていたキリスト教が異邦人の世界，つまり，外国へと広がる働きをしたのです。しかし，その間には多くの迫害〔はくがい〕や危険に遭遇〔そうぐう〕し，囚〔とら〕われの身となってもいます。獄中〔ごくちゅう〕で書かれた書簡も四つほど聖書の中にはあります。最後はユダヤの頑〔かたく〕なな律法主〔りっぽう〕義者，あるいは原理主義者たちに捕えられてローマに送られ，そこでネロ皇帝のキリスト教徒大迫害の中で殉教〔じゅんきょう〕の死をとげたのではないか，といわれています。このような生きざまの中から，今日の聖書の言葉，「この世に倣〔なら〕ってはなりません」，つまり「この世と妥協〔だきょう〕してはならない」という言葉が出て来たのです。それはどんな意味をもつのでしょうか。その背景からみておきましょう。

❖変革の姿勢が大事

　今日の聖書の箇所〔かしょ〕は，新約聖書の中のパウロが書い

た「ローマの信徒への手紙」です。彼は当時の世界の中心的都市であるローマへ行ってぜひキリスト教を伝え，そこを拠点にさらにスペインなどにも伝道活動を広げたいと計画し，準備をしていました。それは彼自身の考えというより，実は神から告げられたミッションだったのです。

　神はエルサレムで囚われの身となっている彼にこう告げています。「エルサレムでわたしのことを力強く証ししたように，ローマでも証しをしなければならない」（使徒言行録，23：11）と。そこで彼はまだ見ぬローマの人々へ自分の信仰と考えを事前に伝えておくために書いたのがこの「ローマの信徒への手紙」です。時代は紀元後，つまりＡ．Ｄ．56年頃といわれています。

　この中でパウロは，私たちが救われるためには，昔からのユダヤ教の律法を忠実に守ることよりも，また良い行いを積み重ねることよりも，イエスの言葉を信じて受け入れることが最も大事だと説きます。今日の箇所で彼が言っていることの意味は，私たちはこの世の型にはまってはいけない，むしろそこから変革へと向う姿勢が大事だということです。

2012年10月22日

さらにある解説書によると，パウロの言いたかった
のは「あなたの生活をこの世の流行に調和するように
務めてはならない。周囲の色彩に合わせるカメレオン
のようであってはならないし，この世と行動を共にし
てもいけない。この世のどんな人になろうか，という
風に考えてはならない」ということだとされていま
す。それはパウロ自身の生きざまであったし，また死
にざまでもあったわけです。

❖権力の暴走に対抗する力を

　私たちが，現実に生きている社会の中で考えると，
当時のローマ帝国ほどではないにせよ，大きな力をも
って国民を支配しているのは，政府という権力組織で
す。この政治権力のことをリバイアサン，つまり巨大
な怪獣に喩えた人がいました。トーマス・ホッブス
(Thomas Hobbes) ＊² という 17 世紀のイギリスで活躍
した政治思想家です。

　リバイアサン（Leviathan）は，実は旧約聖書のヨブ
記 40 〜 41 章に出てくる恐ろしいワニ（聖書の表現は
レビアタン）です。さて，その権力は，猛烈な勢いで
暴走する性質をもっていて，国民をいじめたり，戦争

へ駆り立てたりします。

　そこでこの社会では，これにブレーキをかける必要があります。その役割を果たすべき，社会的な組織や個人がどうしても不可欠です。権力の暴走に対抗する力，英語で countervailing power といいますが，これがないと危険です。

　今日，社会的な組織としてその役割が期待される存在がいくつかあります。例えば，政党，特に野党，新聞やテレビなどジャーナリズム，労働組合，大学などです。中でも大学は良識の府といわれますが，こんなことがいわれます。「批判精神を失ったら，大学人として存在意義がない」と。

　かつての歴史的経験が教えるところでは，戦争が近づくと，これらの存在がことごとく政府や権力の側に引き寄せられて，いわば「この世と妥協して」，骨抜きになってしまう可能性があるのです。

　他方，個人レベルでは，絶大な権力に対抗するのは，容易ではありませんが，2000 年前にそのモデル

*2　1588 ～ 1679 年。イギリスの哲学者，政治思想家。『リバイアサン』の刊行は 1651 年。

を命がけで示したのが，パウロです。現代という舞台
で，パウロのように，この世と妥協せず，勇気ある言
動をした人たちがいますが，その中から3人の人物を
取り上げたいと思います。第1に明治時代のキリスト
教思想家である内村鑑三[*3]，第2にアメリカのマー
チン・ルーサー・キング牧師，第3にこのキリスト教
学院の2代目の学長だった平良 修 牧師です。いずれ
も筋金入りのキリスト者です。

❖内村鑑三の不敬事件

　まず内村は，新渡戸稲造とともに，札幌農学校でク
ラーク博士の教えを受けてクリスチャンになり，偉大
な足跡を残した人ですね。

　私自身は彼の書いた『余は如何にして基督信徒とな
りし乎』という本を高校時代に読んで感動した記憶が
ありますが，たまたま1975年にアメリカのコネチカ
ット大学法学部で客員研究員として過ごした時に，住
んだのがハートフォード神学校の家族寮でした。その
神学校は，緑豊かなきれいなキャンパスで1887年に
若き日の内村が学んだところでして，感無量でした。

　彼は帰国後に当時の第一高等学校（つまり現在の東

大の前身）の先生になりますが，そこでいわゆる「不敬事件」が起きました。それは何かというと，こうです。1891年（明治44年）に学校の講堂で教育勅語奉戴式というのがあり，先生方も生徒も全員が天皇によって出された教育勅語という巻物に向かって最敬礼する儀式なわけです。

　教育勅語は1890年（明治43）に明治天皇によって出されましたが，その内容は，日本の国全体を神としての天皇が治め国民はこれを支えるべきものとなし，これが国民道徳，国民教育の根本になったのでした。私なども小学校3年生までにはその全文を暗記させられました。

　その奉戴式で内村は自分の番が来た時，最敬礼をしなかったため，大騒ぎとなり，不敬事件として世に知られるようになったのですが，彼は非国民の烙印を押されて辞職に追い込まれたわけです。

　クリスチャンとしての彼の信念は，教育勅語は拝むべきものではない＊4，にも拘らず文部省は弱い立場

＊3　1861〜1930年。聖書のみに基づく無教会主義を唱えた。日露戦争では非戦論を主張した。
＊4　『内村鑑三全集第24巻』（岩波書店）の163頁より

2012年10月22日

Ⅳ　この世と妥協しない

の自分を不敬(ふけい)な人物として排除したと批判しています。

　あの時代に彼はそんな文部省を有害無益の存在だとして，不要論，廃止論を唱えていますが，その後彼の予想通り文部省は国民を侵略戦争へと駆(か)り立てる教育を推進しました。第一高等学校を首になった内村はその後日本中で身の置き所のないほどイバラの路を歩みますが，それにもめげず，キリスト者言論人として勇気ある活躍をしました。

　例えば日本の公害の原点といわれる栃木県の足尾(あしお)銅山(どうざん)の鉱毒事件では，同じクリスチャンだった田中(たなか)正造(しょうぞう)*5とも連携して大きな働きをしました。こうして内村はこの世に妥協しなかった人物の一人です。

　あれから1世紀以上を経てこの国は戦争そして敗戦まで体験しましたが，少しは進歩したでしょうか。現在，文科省による教育は日の丸君が代強制に象徴されるように1世紀前とあまり変ってないように思えてなりません。

❖公民権運動の指導者，キング牧師

　第2に，話はアメリカに飛んで，マーチン・ルーサ

ー・キング牧師*6ですが，皆さんもよく知っていると思います。彼の著書で「汝の敵を愛せよ」というのがありますが，まだの人は是非読んでほしい一冊です。

　彼は 1960 年代のアメリカで人種差別をなくするための公民権運動をリードした牧師ですが，マハトマ・ガンジー*7にならって「非暴力主義」を貫きましたし，ノーベル平和賞も受けました。人種差別をなくするため公民権法を推進していたケネディー大統領が 1963 年にテキサス州のダラスで暗殺されましたが，このニュースを聞いたキング牧師は，妻のコレッタさんに向って「自分も 40 歳までは生きておれないだろう」ともらしたそうで，その通り，1968 年に 39 歳でテネシー州メンフィスで暗殺されました。

　亡くなる前，1963 年の夏に正義と自由を求めるワシントン大行進があり，そのあと，リンカーン記念館前に集まった 25 万の群衆を前にして行ったスピーチ

＊5　78 頁参照
＊6　1929 ～ 1968 年。アメリカの牧師で公民権運動の指導者。
　　1964 年にノーベル平和賞受賞。
＊7　1869 ～ 1948 年。「インド独立の父」と称される指導者。

2012年10月22日

IV　この世と妥協しない

で彼が人種差別のない社会を夢見て語った I have a dream という表現はあまりにも有名です。

　私が彼の本の中で，強く印象づけられたのは，彼が社会的な問題に背を向ける教会の体質を鋭く批判している点です。こう言っています。「教会はしばしば彼岸^{（がん）}（つまり来世，あの世の意味）にある善にばかり夢中になって，この世にある悪を忘れてしまう」と。

　またこうも言いました。「人間の魂に関心を持っていると表明しながら，その人間たちを窒息^{（ちっそく）}させるような経済や社会の状態，彼らを不幸にしている社会条件などには無関心な宗教こそ，マルクス主義者が『人民のアヘン』と呼んだ部類の宗教である＊8」と。

　銃社会のアメリカらしく，彼は銃弾によって命を奪われましたが，正義のためにこの世に妥協しなかった殉教者^{（じゅんきょうしゃ）}の一人としてその名はずっと残るでしょう。多くの州で彼の誕生日（1月15日）を法定休日にして覚えています。

❖「最後の高等弁務官に」と祈った平良修牧師

　第3に，現代の沖縄に戻って平良^{（たいら）}修^{（おさむ）}牧師，すなわち本学の第2代目の学長について語りたいと思いま

す。平良学長時代のキリ短の卒業生たちが異口同音（いくどうおん）に語っているのは，先生から聞いた「問題提起者になれ」というメッセージだったそうです。これは容易なことではありません。しかし先生はご自身でこれを実践されました。

　戦後の沖縄は米軍統治のもとにおかれましたが，ある時期から最高権力者として高等弁務官（こうとうべんむかん）*9という制度になり，現役の軍人がこれを務めました。1966年の夏に5代目の高等弁務官となるアンガー中将の就任式が行われました。そこでは従来からのしきたりに従って，キリスト教式のセレモニーが実施されましたが，その中で当時キリ

平良修牧師（2019年11月5日）

　*8　『汝の敵を愛せよ』（新教出版社，1976年）182頁。
　*9　戦後，沖縄を占領・統治したアメリカの軍政府（後に民政府）は東京に長官を置き，副長官が沖縄の実質的支配者だった。1957年7月1日から大統領令で高等弁務官が設置された。絶大な権限を持っていたことから「沖縄の帝王」とも呼ばれた。1972年5月の施政権返還（復帰）まで6代続いた。中でも「沖縄の自治は神話」などと発言した3代目キャラウェイ（在位1961年2月〜64年7月）が有名。

2012年10月22日

スト教短大の学長だった平良先生がお祈りをする役割を言いつかって，日本語と英語でこれを実行しました。

その中で先生は沖縄の人たちの気持ちを代弁するかのようにこう祈りました。「世界に一日も早く平和が築き上げられ，新高等弁務官が最後の高等弁務官となりますように」という言葉でした。先生は自分の信仰と良心に恥じない祈りだったから，ステージのうえで，何のおそれもなかったと述べています。

むろん，これは大きな波紋を巻き起こし，賛否両論あったようですが，アメリカ側はその内容が地元マスコミや民衆に支持されていることを知って露骨な弾圧はしなかったそうで，こうして本学の歴史の中で，この世に妥協しない人物があったことをぜひ皆さんに覚えて欲しいと思いますし，来る 11 月 10 日に行われるホームカミングデーのハイライトとして平良先生の講演が予定されていますので，皆さんには是非聞いて下さるようお勧めします。

❖結びとして

この世と妥協しないというのは，ほんとうに至難の

業です。しかしこれを成し遂げた人々がいたのです。とりあげた３人の方々はいずれもキリスト者です（実はこの「キリスト者」という表現は「信者」という言葉を嫌った内村鑑三が考えたそうですが，多分，新約の使徒言行録 11 章 26 節に由来すると思われます），この３人の方々には信仰の力が働いていたことを感じさせられます。

　皆さんもこの世がおかしな方向へ進むとき，ノーといえるような勇気，妥協しない精神を培って欲しいと願っています。

2013 年 7 月 22 日（月曜礼拝）

戦争と平和

8月を前に思うこと

イザヤ書2章

3 多くの民が来て言う。

　「主の山に登り，ヤコブの神の家に行こう。

　主はわたしたちに道を示される。

　わたしたちはその道に歩もう」と。

　主の教えはシオンから

　御言葉はエルサレムから出る。

4 主は国々の争いを裁き，多くの民を戒められる。

　彼らは剣を打ち直して鋤とし

　槍を打ち直して鎌とする。

　国は国に向かって剣を上げず

　もはや戦うことを学ばない。

5 ヤコブの家よ，主の光の中を歩もう。

❖私の戦争体験

　毎年6月と8月が近づくと，私の場合，どうしても戦争のことに思いが向きます。6月は沖縄戦の終結，8月は日本の敗戦ですね。1944年の那覇でのいわゆる10・10空襲の時，私は小学校3年生でしたが，家の庭先に掘ってあった防空壕（ぼうくうごう）に家族5人で避難し，うずくまっていた所へ，アメリカのグラマン戦闘機からの機銃掃射（きじゅうそうしゃ）を受けました。幸い，無事だったのですが，でも弾が自分の15センチくらい先に打ち込まれたので，初めて戦争の恐怖を体験しました。あの体験は今思い出しても身の毛がよだつし，恐ろしさはいつまでも消えません。これが沖縄戦の先触（さきぶ）れだったわけです。

　我が国の引き起こした戦争の歴史の一部をそういう風に体験したものとして，今日はこれに聖書の説く平和を重ねて8月の思いを語ってみます。

　一体，キリスト教は，歴史や社会の出来事とどう関わるのか，という根源的な問題があります。一方では，クリスチャンは，この世の生み出す政治的あるいは社会的な問題には関心を持つべきでなく，ひたすら

神を見上げて歩むべきだと信じる人たちがあります。

　他方，この世が直面する問題からキリスト者は目を
そらすべきでなく，関心をもち，関わるのが正しいと
信じる人たちがいます。私自身は，後の方の考え方に
傾きます。それは，プロテスタントの牧師であり，神
学者である喜田川信という先生が，マルチン・ルター
*1の神学に沿いながら，神は，一方では歴史を超越
し，他方では歴史に入り込み，これを動かすという捉
え方をしていること*2への共感でもあります。

❖囚われのイスラエル民族

　さて，今朝の旧約聖書の中のイザヤ書とはどんなも
のなのか，ふれます。

　それは，冒頭に「アモツの子，イザヤが見た幻」と
書かれています。歴史を遡ると，紀元前約900年の
頃，イスラエル民族は，北王国と南王国に分かれまし
たが，先に北イスラエルが滅んだあとに南王国（つま
りユダ王国）がバビロニアの圧力のもとで滅亡します。

　そのバビロニアは，どこにあったかというと，中東
のチグリス・ユーフラテス河の下流に位置した強大な
国で，それがイスラエルを滅ぼして，そこの人々約

２万人を捕虜にしてバビロニアへいわば強制連行しました。彼らは半世紀以上囚われ人としてバビロニアで生活をしましたが、その時のバビロニアの王がネブカデネザルであり、別名「ナブッコ」と呼ばれました。

ヴェルディー[*3]の歌劇「ナブッコ」は、この歴史を背景に作られたもので、その中で歌われる有名な合唱曲「ヘブライの囚われ人の歌」があり、特に「行け我が思いよ、黄金の翼に乗って」は、ずっしりとした曲で、イタリアの第二国歌とも呼ばれ、イタリアの人たちが涙を流しながら歌っている場面を、私もユーチューブで何度か見たことがあります。

❖神を信じることで平和が訪れる

さて、話をもとに戻して、イザヤ書は、三つの時期にわたって成立した預言の書から成り立っているとい

＊１　17 頁参照。
＊２　喜田川信著『歴史を導く神―バルトとモルトマン』（ヨルダン社、1986 年）175 頁より。喜田川は 1922 年生まれの神学者。『ヘーゲル・ボンヘッファー・バルト』などの著作がある。
＊３　ジュゼッペ・ヴェルディー。1813 ～ 1901 年。主にオペラを制作したイタリアの作曲家。他の代表作に「アイーダ」「椿姫」など。

2013年7月22日

われますが，今日の箇所は，その第1イザヤの始めの
あたりに位置しています。

　預言者イザヤが，神から招き（calling）を受けたの
はＢ．Ｃ．700〜800年の頃，まだ北と南の二つの王
国とも一見平和で，豊かな時代でした。ちょうど今の
日本のように。

　しかし，人々の間に道徳的な退廃や偶像礼拝，そし
て権力の腐敗等が広がりつつあり，イザヤは内憂外患
の中で，神から選び出され，その神を信じ，頼ること
ですべての災いを去って，平和が訪れる，つまり，試
練のかなたに救い主であるキリストの出現と新しい平
和な国の実現を夢見たといわれます。

❖地の果てまでも支配するという思想

　さて，世の中が，混沌として平和が危うくなるとい
う体験は私たちの国でもすでにあったわけですが，最
近は，再びそのような時代の到来を予感させられま
す。そこで自分自身の体験を重ねながら歴史を振り返
ってみます。

　私自身は，戦前，戦中，そして戦後を生きたことに
なるのですが，那覇市の若狭町という海辺で生まれ育

った頃，そこは，まだのどかな佇まい（たたず）でした。しかし，小学校（当時は国民学校）の生徒になった頃から，戦争の空気がだんだん濃厚になっていきました。

　学校の内外で耳にした言葉の中に「八紘一宇（はっこういちう）」というのがありました。その意味は「地の果てまで，つまり全世界のすみずみまで，一つの家のように天皇の支配下に置く」という思想で，これによって日本はアメリカ始め中国や近隣の国々へ軍隊を送って攻めていきました。

　つまり，大東亜戦争は，天に代わって天皇が不義を討つために始めた戦争だから，正しい戦争であり，仮に負けそうになっても最後には神風（かみかぜ）が吹いて日本が勝つ，歴史上でも，13世紀末の「元寇（げんこう）＊4」で，蒙古軍（もうこ）が攻めてきたときには，最後に神風が吹いて勝利したと教わったのです。

　戦争の機運が高まる中で，国民は老いも若きも国の言うままに内向きの思想で画一化され，コントロール

　　＊4　中国を支配していたモンゴル（元）が2度（1274年・1281
　　　　年）にわたって日本を攻めてきた事件。当時日本は鎌倉時代で
　　　　「文永・弘安の役」とも呼ばれる。弘安の役では停泊中の元の
　　　　船が暴風雨で多くが沈没したと言われている。

2013年7月22日

されました。新聞もラジオもすべて政府に支配されて，批判精神を失い，真実を伝えることができなくなったのです。またキリスト教などは，基本的に敵国の宗教として排除あるいは弾圧されましたし，英語や外来語は「敵性語」と呼ばれて禁止となりました。それまで当時の中学で教えられていた英語の授業もなくなりました。そしてすべての学校でいわゆる皇民化教育が徹底していきました。

❖学校で「お国のため」と教えられる

　私の受けた教育を思い出すと，まず教科書はすべて国定教科書*5でしたから国の政策を100％反映した内容となりました。そして皇民化教育の中で，私なども小学校3年生の頃には，「朕思うに*6」で始まる教育勅語を丸暗記しました。そして大きくなったら，軍人になって天皇のために死ぬというふうに知らず知らずのうちに，マインドコントロールされていきました。同時にアメリカやイギリスは，「鬼畜」と教えられて敵愾心を燃やしたのです。「桃太郎」の童話も，日本が桃太郎で，アメリカとイギリスこそは鬼が島の鬼たちだと信じました。

また，授業の内容は兵隊に関するものが多く，例えば，国語の教科書ではこんなのがありました。「兵隊さん進め，チテチテタ，トテチテ，チテチテタ」一体何の意味か，分かりますか。これは進軍ラッパの音階だったようです。

　音楽の時間でも，こんな歌を教わりました。「今日も学校へ行けるのは，兵隊さんのおかげです。お国のために，お国のために戦った兵隊さんよ，有り難う」。またドレミファ，は外国（本当は同盟国だったイタリアでしたが）の言葉だから，これもだめとされ，日本の階名，音名で教えられました。例えば，文部省唱歌の「春の小川」という歌がありますが，これは「ホトイト，ホトハハ，」という風に覚えさせられました。

＊5　国の機関（当時、文部省）が執筆・編集し，全国一律に使用された教科書。現在の教科書は検定制で，出版社が発行しようとする教科書が，文部科学省の検定調査委員会の審査を受け合否が決まる。場合によっては書き直しを指示されるケースもある。

＊6　「朕」とは天子・皇帝（ここでの場合は天皇）が自らを呼称する一人称。「思う」は教育勅語の原文では「惟」。

2013年7月22日

❖沖縄・広島・長崎・アジアの惨禍

　さらに私は，まだのどかな時代に，時々家の近くにあった那覇商業学校の運動場で，大人たちが野球をしているのを遠くから見たりしていましたが，その野球は，アメリカで生まれたスポーツなので，当然多くの用語は英語でできています。ところが英語は，敵性語_{てきせいご}だから全部日本語に直してプレーしたそうです。例えば，ストライクは「正球」，ボールは「悪球」，ファールボールは「圏外球」と呼びました。

　その他，女性のパーマネントも，アメリカのものだから駄目_{だめ}，またすべて贅沢_{ぜいたく}は敵だとされ，家にある鍋_{なべ}や釜_{かま}など金属製品はすべて，戦闘機や武器を作るために，供出_{きょうしゅつ}せよと命じられました。みんなせっせと出していましたし，もしも協力しないと，「非国民」というレッテルが貼られてしまうのです。

　こうして戦時体制が津波のように押し寄せる中で，沖縄では1944年の10・10空襲*7があり，45年3月には沖縄戦に突入して，約20万人の犠牲者を出しました。生き残ったけれど，今も戦争から受けた心身の障害で悩まされる人たちがいます。

また８月になると，広島，長崎では原爆投下で大勢の人たちが亡くなり，また同じように，後遺症で苦しむ人たちがあります。この国が引き起こした太平洋戦争による日本全体の死者は，200から300万人といわれますし，中国等近隣の国々の戦争犠牲者はその約10倍の２千万〜３千万人といわれます。

❖武力行使が許される五つの条件

　戦争は，どんな自然災害も及ばないくらいの大きな犠牲を出すし，人類の冒しうる最大の罪悪であるはずですが，それでも根絶できず，いつの時代にも，世界のあちこちで，起きてきました。むろん，その防止のために知恵を出し，努力をした人たちもありました。その中から３つの例に触れてみます。

　最初の例は，キリスト教の伝統の中から生まれた戦争のルールです。それは，今日の国際法のベースにな

　＊7　1944年10月10日，奄美大島，徳之島，沖縄諸島，宮古島，石垣島，大東島などが攻撃を受けた，米軍最初の空襲。「じゅうじゅうくうしゅう」と読む。死者600人，負傷者900人，那覇市は90％が燃えた。また，1945年4月1日，沖縄本島に米軍が上陸したことからこの日を沖縄戦の始まりと説明する資料もあるが，3月26日に慶良間諸島に米軍が上陸している。

2013年7月22日

Ⅴ　戦争と平和

っているカトリック教会の聖戦論であり，1500 年の歴史をもつといわれます。

　すなわち，それは 4 世紀の聖アウグスチヌスや 13 世紀の哲学者トーマス・アキナスらによって生み出されたもので，戦争を起こす国が守るべき五つのルールからなっていますが，それは今もアメリカの陸海空軍の士官学校で教えているそうです。

　その内容をなす五つのポイントとして，戦争が許されるのは，まず第 1 に明確な侵略の脅威（きょうい）に直面していること，第 2 に先制攻撃は一切禁止，第 3 にその国の最高の政治的権威による決定があること，第 4 に自衛的な限定戦争であること，第 5 に戦争後の確実な改善の見通しがあること，等です。アメリカのブッシュ政権が先制攻撃として始め，日本の小泉政権も支持したイラク戦争＊8は，その大部分がこれに反していると言われています。

　このルールは国連憲章に受け継がれており，国家の武力行使が許されるのは，急迫不正の侵略を受けて自衛行動をとる場合か，または国連の安全保障理事会で明確な承認決議がある場合に限られます。こうして国際的なルールがあるが，しかし大国のエゴでそれが守

られていないという現実があります。

❖戦争防止への提案

　第2に，大正デモクラシーを代表する知識人で，ジャーナリストだった長谷川如是閑という人のエッセーに出てくるデンマークの陸軍大将フリッツ・ホルムの戦争防止の提案があります。ホルムによれば，世界各国で次のような法律を作れば戦争はなくなるといいます*9。

　すなわち，戦争を始めることを決めた国では，まず10時間以内に次の人たちは最下級の兵卒として最前線に送られて，敵の砲火のもとで実戦に参加しなければならない。その対象となるのは，誰かというと，国家元首，総理大臣と全閣僚，戦争に反対しなかったすべての国会議員と宗教者等です。その他に，これらの

---

　*8　2003年3月，フセイン政権打倒を目的に，武力行使容認の国連安保理決議がないままアメリカを中心とする多国籍軍がイラクを侵攻，同年5月にはブッシュ米大統領が戦闘終結を宣言。しかしその後もテロやイスラム宗派同士の武力抗争が続き，米軍の完全撤退は2011年12月までずれ込んだ。
　*9　長谷川如是閑が1929年の論壇誌において，ホルムが「戦争を絶滅させること受合いの法律案」を考案したと紹介。そのためにこの提案は「戦争絶滅受合法案」として知られる。

2013年7月22日

人たちの妻や娘も戦争継続中の前線に近い野戦病院で看護師として勤務しなければならない，というものです。

　なるほど，昔も今も，勇ましい発言をする政治家などは，しばしば自分自身を安全地帯において，国民に武器をとって戦えと呼びかけるので，もしも自分自身が最前線で戦争に参加しなければならないことになれば，もっと慎重になるはずです。

❖平和憲法は聖書の教えに通ずる

　第3に，憲法のレベルで徹底した戦争否定，戦力の放棄を打ち出した例として我が国の平和憲法があります。それは侵略戦争で敵味方に大きな犠牲を出したことの反省から生まれたものですが，実はこれこそキリスト教の平和思想にも通ずるものです。すなわち，すべて剣をとるものは剣で滅びるというイエス・キリストの言葉と重なります。

　さらにさかのぼって旧約聖書の教えとも一致します。今日の聖書の箇所をもう一度見て下さい。イザヤ書第2章4節にはこう書いてあります。「主は，国々の争いを裁き，多くの民を戒められる。彼らは剣を打

ち直して鋤とし槍を打ち直して鎌とする。国は国に向
かって剣を上げず，もはや戦うことを学ばない。」と。
これは，今の日本をはじめ，武器をもって平和を実現
できると考えたがる国々全体へ向けられたメッセージ
と読むべきだと思います。

　人間的な努力や政治的な手段といったレベルでどん
なに追求しても，本当の平和はおぼつきませんが，人
間の心が平和の神につながる時に真の平和が約束され
るという教えだと思います。ユネスコ憲章の前文もこ
れと相通じます。「戦争は人の心の中で生まれるもの
であるから，人の心の中に平和のとりでを築かなけれ
ばならない」と書かれています。

　8月を前にして，皆さんと一緒にこのことを心に刻
み付けたいと思います。

義のために責められる者

田中正造と新島襄の足跡から

マタイによる福音書第5章

10 義_ぎのために迫害_{はくがい}される人々は，幸_{さいわ}いである，
天の国はその人たちのものである。

11 わたしのためにののしられ，迫害_{はくがい}され，身に覚
えのないことであらゆる悪口_{あっこう}を浴びせられると
き，あなたがたは幸_{さいわ}いである。

12 喜びなさい。大いに喜びなさい。天には大きな
報_{むく}いがある。あなたがたより前の預言者_{よげんしゃ}たちも，
同じように迫害_{はくがい}されたのである。

❖キリスト教徒への迫害

義のために責められる者というのが今朝のテーマで
す。義すなわち正義とはここでは特にキリスト教の教

えを指します。英語の聖書では,「神の求めるところ」
(What God requires)となっています。「責められる」
という言葉は,英語の聖書では,殆ど persecute とい
う表現が使われていますが,日本語の訳はいくつかあ
り,「責められる」とか,「迫害される」「苦しむ」な
どがあります。歴史を振り返ってみますと,ヨーロッ
パでも日本でも,キリスト教徒であるが故にさまざま
な苦しみを味わうという経験が数多くありました。

　例えば,ヨーロッパの歴史を見ると,ローマ時代に
は皇帝ネロ*1がキリスト教徒を捕らえて来て,全身
に油を塗って火をつけ,人間のたいまつを庭に並べて
夜間照明代わりにしたそうです。

　またローマ帝国では「皇帝カイザル*2は主である」
というスローガンの下で,国民の政治的忠誠が試さ
れ,「カイザルかキリストか?」と人々に迫って,カ
イザルと答えなかった人たちには,弾圧が加えられま
した。

*1　37〜68年。ローマ帝国第5代皇帝。身内や近臣を数多く殺
　　害,キリスト教への迫害もあって,「暴君ネロ」として名高い。
　　暴政のため各地で反乱が起き,自殺に追い込まれた。
*2　新約聖書に出てくる,ローマ皇帝を指す称号。

2013年10月21日

VI　義のために責められる者　　　　　　　　　　　75

それと並行して，一般市民の間でもキリスト教徒への悪意に満ちた宣伝が行き渡りました。例えば，教会では聖餐という儀式があって，信徒はパンと葡萄酒を頂くことが今も広く行われていますが，それに対して，クリスチャンというのは，人間の肉を食べ，人の血を飲む恐ろしい宗教だという噂が広がったため，キリスト教に対する非難と迫害へ発展したこともありました。

❖日本では「敵国の宗教」として弾圧

　他方，皆さんには歴史で勉強済みだと思いますが，日本でも豊臣秀吉の時代のバテレン追放令[*3]から明治始めの頃のキリシタン禁制まで苦難の歴史が続きます。そしてさらに太平洋戦争の時には天皇は現人神（生きた神様）とされて，小学生から大人まで国民みんなが天皇の住まいである宮城（皇居）に向かって拝む「宮城遥拝」が義務づけられ，同時にキリスト教はアメリカやイギリスという敵の国の宗教として弾圧されました。こうして日本では，いろんな手段でキリスト教が広がらない政策がとられてきたわけです。

　何年か前の映画で「少年H」というのがありまし

た。これは妹尾河童という舞台芸術家の自伝を映画化したもので，戦争中に敵国の宗教とされたキリスト教を信じていた一家がいかに苦労し，いばらの道を歩んだかという物語で，ほぼ実話です。当時の世の中の様子がよく描かれていますので，ぜひ皆さんにも見てほしいものです。戦争の時代にみんながいかにマインドコントロールされ，間違った国の政策に引きずられていったか，よく描かれています。

　戦後は，新しい憲法の下で，初めて「信教の自由」や「良心の自由」が保障されましたが，それも私たち国民がしっかり受け止めず，油断しているといつまた戦争中のように失われてしまうかも知れません。

❖「迫害される者こそ，幸いだ」という教え

　さて，今日の聖書の箇所に関して，専門家の解説を見ておきましょう。スコットランドのグラスゴー大学の聖書学者であるバークレー先生は，こんな風に述べ

＊3　キリスト教宣教師に国外退去命じたのが1587年。バテレンとはポルトガル語の「神父」からきている。江戸幕府も1612年に禁教令を発布，キリシタン禁制が撤廃されるのは1873（明治6）年。

2013年10月21日

ています。「信仰のゆえに受ける迫害は刑罰ではなく、栄光であり、また迫害を受ける者は孤独ではない。迫害の時こそ、キリストが最も近くにおられる、そしてキリストが求めているのは、彼のために死のうとするものよりも、むしろ彼のために生きようとする者だ」と。

　こうして「義のために責められ、迫害される者こそ、幸いだ」という教えは苦難の中にあるクリスチャンたちを勇気づけてきたといわれます。今朝は、日本の近代史の中から、二人の人物を取り上げて、厳しい状況の中でも、キリスト教の影響を受けて、神の正義のために忠実に生きようとした姿を見ておきたいと思います。それは、田中正造と新島襄という人物です。

❖命がけで公害問題に取り組んだ田中正造

　まず田中正造*⁴ですが、その名前を聞いたことがあるでしょうか。今年は彼が亡くなってちょうど100年となるので、地元では今月の13日にそれを記念する「未来への大行進」という企画があったと聞きました。

　では一体田中正造とはどんな人物だったのか、何を

した人なのでしょうか。以前は小学校の教科書にも取り上げられていたので，よく知られていたと思いますが，現在はたぶん知らない人が多いのではないかと思います。

　田中は，1841年に栃木県佐野市に生まれました。自由民権運動に関わりましたが，何と言っても，大きな働きは日本の公害の原点といわれる栃木県の足尾銅山の公害問題解決のために戦ったことです。当時，足尾銅山の深刻な公害が明らかになったとき，明治政府も重たい腰をあげ，調査に乗り出しましたが，その結果出された報告書では，「鉱毒被害は少量で，害はない。むしろ銅を含んだお乳は乳児の発育にすこぶるよい」という内容になっていました。

　そこで思い出すこととして，原発事故でも政府寄りの専門家は，福島の原発からもれた放射能がいかに無害であるかを強調しましたが，最近，国連の専門機関から内部被曝の数値が低すぎるとの批判が出ています

＊4　1841〜1913年。足尾鉱山鉱毒事件では被害農民の側に立ち奔走した。著者は本講話のため，『福音と世界』2013年9月号（田中正造没後100年特集），中尾祐子著「田中正造」（『百万人の福音』2013年2月号）などを参考とした。

2013年10月21日

ね。

　さて，その田中は，政治家で衆議院議員でした。当時は高額の税金を納めた金持ちしか議員になれない仕組みで，彼は大きな庄屋＊5の跡取りに生まれた人物でした。足尾銅山の問題が深刻化しても，政府が結局何もしてくれないと知って，彼は天皇に足尾銅山の営業を止めさせてほしいと直訴します。

　当時天皇に直訴するのは大変なこと，というよりタブーです。命がけでそれをしましたが，事態は変わらず，鉱害を止めることが出来ないと分かった時，彼は自分の出身地から，鉱害の被害をまともに受けている栃木県谷中村へ移り住んで，被害者たちと同じ状況に身を置いて，ともに生きる決心をしますが，その中でキリスト教に出会います。

　巨大な鉱害を告発し，鉱毒を流し続ける企業と政府に反対運動をする中で，財産も失い，警察に逮捕されて巣鴨の監獄（刑務所）に入れられたりします。そこへ以前から交流のあった内村鑑三等が面会にやって来て，聖書を差し入れます。それを一生懸命読んだそうですが，特に今朝読んだマタイ福音書の中の「山上の説教＊6」から彼は影響を受けたと言われています。

やがて力尽きて亡くなりますが，彼の亡がらの側にはそのマタイ福音書とちり紙と手紙が残されただけでした。けれども彼の葬儀には4万人近い人たちがやって来たそうです。

　私の妻は以前小学校の教師をしていた頃，教科書によって田中正造のことを教えたそうですが，子どもたちの反応の中に「せっかく財産もあり，国会議員という偉い地位もあるのに，それをすべて捨ててこんなことに関わるなんてどうして？」という声があったそうです。皆さんはどうでしょうか。

❖英米の文化・技術を学んだ新島襄

　次に取り上げる人物は，新島 襄[*7]です。今NHKで日曜日に放送されている大河ドラマ「八重の桜」の

---

*5　江戸時代の村落の長の名称。関西で用いられることが多く，関東では「名主（なぬし）」と呼ばれた。

*6　イエスが山の上から，群衆を前にして弟子たちに行った説教で「山上の垂訓（すいくん）」とも呼ばれる。「マタイによる福音書」第5章から第7章までに記されており，「世の光・地の塩」「目には目を，歯には歯を」「豚に真珠」「求めよ，さらば与えられん」「狭き門より入れ」など一般にも知られる語句を含んでいる。

*7　解説は83頁に。

2013年10月21日

Ⅵ　義のために責められる者　　　　　　　　　　　81

主人公は，山本八重で「会津のジャンヌダルク」と呼ばれていますが，その夫です。

　彼は，江戸の神田にあった安中藩の武家屋敷で，下級武士の子として，1843年（天保14年）に生まれました。先に触れた田中正造より2年後に生まれたことになりますが，二人はほぼ同時代人とみていいでしょう。

　新島襄の父親は自分の跡を継いで武士になることを期待しましたが，本人は武芸にはあまり興味を示さず，世界に広がる学問に興味をもち，14歳の頃から当時影響力の大きかった蘭学に関心を持ったかと思うと，やがて英学，つまり英語圏の文化や言語に興味を持ち始めたのでした。

　江戸湾に黒船がやって来たりして，時代が大きく転換期を迎えていることを予感した襄は，19歳の時，幕府が作った海軍伝習所という学校に入って，外国語をはじめ，代数や幾何，航海術等を一生懸命学んだのです。さらに，友人から借りたブリックマンの「アメリカ合衆国の歴史」という本を何度も読み，また幼い頃から学んでいた漢文，漢語に訳された聖書も借りてよく読んだようです。

そして，ますます外国への興味が募り，日本を脱出してアメリカに渡って，勉学したいという夢が膨らんでいきました。今なら誰でもパスポートをとって海外へ自由に行けますが，当時は鎖国時代だから海外渡航は禁止です。違反すると捕まり厳罰に処せられます。

　同じように海外を目指して渡航を企て下田に停泊中のペリー艦隊に近づいてアメリカへ連れて行ってほしいと頼んだ長州の吉田松陰 *8 の場合，捕まって送り帰され，また投獄されたりもした。後に，安政の大獄で処刑されています。新島襄の場合は，もっと慎重に事を運び，密航を考えます。

❖函館から上海，アメリカへ

　彼は，函館へ渡り，ロシアの領事館付きの司祭であるニコライのもとへ行き，彼の勧めでその住居に住ん

---

* 7　1843〜1890 年。1875 年に同志社英学校（同志社大学）を設立した教育家。キリスト教精神に基づく教育に専心。安中藩は現在の群馬県安中市周辺。新島襄の生涯については，福本武久著『新島襄と八重―同志の絆』（原書房，2012 年）などが参考となる。
* 8　1830〜1859 年。幕末の思想家，教育者。松下村塾（しょうかそんじゅく）で多くの門人を育てる。日米修好通商条約を結んだ幕府を批判し投獄され，安政の大獄で死罪となった。

だ上，彼に日本語を教えると同時に，二人のイギリス人から英語を習います。

　彼はアメリカへ行きたいというかねてからの希望を実現するために，アメリカの商船の船長と熱心に交渉して，密航できるチャンスを待っていました。函館に来て2カ月ほど経った頃，チャンスが訪れ，彼はアメリカの商船「ベルリン号」に乗って上海へと向かうことになります。むろん金はないので，船員として働くことになりましたが，言葉の苦労と厳しい仕事に堪えながら何とか上海へ着き，そこからさらにアメリカに向かう商船を見つけて交渉し，船長付きのボーイとして採用されます。

　襄は，航海の間，時間があれば上海で見つけて手に入れた漢語訳の新約聖書を一生懸命読みました。

　その船がボストンに着いたのは襄が函館を出て翌年（1865年7月）でした。そこで乗って来た船の船長さんの紹介で船主のハーディーさんに会いますが，アメリカで勉強したいという襄の熱意に打たれてハーディーさんは留学中のスポンサーになってくれます。

　こうしてアメリカで懸命に勉強し，マサチューセッツ州の liberal arts college として有名な Amherst

College を卒業し，さらにキリスト教の神学校でも学びます。そして明治政府から派遣された岩倉具視一行の通訳も務めます。神学校時代にその付属教会で洗礼を受け，卒業して，1874年の秋に，9年ぶりで日本へ帰って来ます。

❖同志社の建学の精神

帰国後，彼はキリスト教の学校を作るという夢を持っていましたが，当時，キリスト教とは得体の知れない危険な宗教という風に考えられていたので，いろんな妨害にあいます。

大阪ではキリスト教嫌いの知事に彼の計画は拒否され，大阪とライバル関係にあった京都で八重さんの兄さんの山本覚馬の後押しもあって槙村という知事に話がつながります。間もなく八重さんに出会って結婚し，山本覚馬の支援を受けながら，その計画を進めたわけです。しかしさまざまな困難は後を絶ちませんでした。

例えば，京都は仏教の街ですから，お寺の側から強い反対や妨害がありましたし，一般に京都人の気質としてかなり閉鎖的なところへ，よそ者の夫婦が「ヤ

2013年10月21日

ソ」を持ち込もうとしている，と聞くだけで猛反発が広がったそうです。また裏には密偵がついてその行動は常に監視されていました。

こうした困難を乗り越えて，何とか1875年（明治8年）には，同志社英学校を作ることに成功しますが，それでもキリスト教を正面から教えることは，いろいろと困難があり，授業は英語やアメリカの歴史が中心でした。

設立趣意書にはこう書かれていたそうです。私の方で勝手に現代語に直しますが，「一国を維持するのは決して2,3の英雄の力によるのではない。一国を組織する教育，知識，品行ある人民によるのである。これら人民は一国の良心とも言うべき人々である。こうして，私たちはこの国の良心とも言うべき人々を養成することを願っている」。

注目すべきは，同志社大学の建学の精神が，「社会の良心になれる人を育てる」となっている点であり，そのスピリットによって，大学は今や京都で見事に発展を遂げています。ついでに，皆さんにはテレビの「八重の桜」もご覧になるようお勧めします。あの時代の空気を知る上で，きっといい勉強になるはずで

す。

　なお，新島襄は，1890 年（明治 23 年）に亡くなりましたが，その葬儀には 4 千人余の参列者があり，また仏教徒たちから寄せられたのぼりも見受けられたそうです。

❖試練の中でもキリスト教を支えに

　さて，明治時代にこの国の近代化に貢献した田中，新島という二人の人物について語ってきましたが，二人に共通するのはいろんな試練にあいながらも，キリスト教が支えになって目標に向かって突き進んで行ったという点でしょう。

　彼らこそは，聖書の言葉通り「義のために責められる者」であり，「天国は彼らのもの」だったと思います。その生き方に学びたいものですね。

2013 年 12 月 7 日（沖縄キリスト教保育同盟クリスマス集会にて）

クリスマスのキーワードは平和！

「隔ての壁」を取り去ったその生き方から学ぶ

　こんにちは。去年の 4 月にこのキリスト教学院大学及び同短大の 9 代目の学長を仰せつかった中原です。昔からの友人である友寄隆静（ともよせりゅうせい）さんからのお勧めを受けてこの場に立つことになりました。56 年の歴史をもつ私どものキリ短大では，キリスト教保育が教育の根幹をなしていますが，そのスピリットに触れた卒業生たちが多くの保育園で働かせていただいていますことに深く感謝しております。

❖日本ではサンタクロースが主人公 ⁉

　さて，12 月を迎え，去る 1 日から教会の暦でいう待降節（たいこうせつ）*1（アドベント）に入りましたので，一足先にクリスマスおめでとうと申し上げて，今日はクリスマスにちなんだ話をしたいと思います。三つの場面でクリスマスの情景をみてみます。

第1の場面は，私たちの国でのクリスマス風景です。毎年，クリスマスが近づくと，街は賑わいます。ジングルベルの音楽が鳴り響き，クリスマスセールが派手に行われ，クリスマスパーテイ，クリスマスプレゼント，クリスマスケーキ等，そして多くの子どもたちにとっては，クリスマスと言えばサンタクロースが主人公であり，プレゼントがもらえる日だと信じているはずです。「イエス・キリストの誕生日だよ」と言っても「それって誰？」という反応が返ってくる場合が多いのではないでしょうか。

　かつて，私の母教会である首里教会の知花真康牧師がクリスマス用品を買うために店に行ったら，店員さんから「教会でもクリスマスをやるんですか？」と聞かれたそうです。これが第1の場面であり，日本での普通のクリスマス風景ではないでしょうか。

❖絵画・音楽で描かれたイエスの誕生

　第2の場面は，海外に目を向けて見ると，キリスト

＊1　教会ではクリスマスの四つ前の日曜日から準備期間に入り，これを待降節（「アドベント」とも）と呼ぶ。

2013年12月7日

Ⅶ　クリスマスのキーワードは平和！

89

教的な雰囲気を持ったクリスマス風景があるはずです。むろん，日本と同じようにクリスマスセールも盛んですし，サンタクロースも子どもたちの人気者です。しかし，ご存知の通り，クリスマスの本当の意味は，イエス・キリストの誕生をお祝いし礼拝する日で，それは人々のいろんな風習や伝統の中で，覚えられています。例えば，クリスマスカードの交換という風習がありますね。これは基本的にはクリスチャン同士で行われるもので，ユダヤ教も含めて他の宗教の人々の間では，クリスマスカードではなくて，season's greetings というカードのやり取りが行われているようです。

　またイエスの誕生は，欧米の芸術の世界でもさまざまに取り上げられています。例えば，絵画の世界を見ますと，私は全く素人ですが，かつてイタリアを旅した時に，フィレンツェにあるウフィツィー美術館を見学する機会がありました。そこには多くの宗教画があって，特にレオナルド・ダ・ビンチや，ボッティチェリーの「受胎告知」，つまり天使ガブリエルがマリアに臨んで，「あなたは神の子を産みます，恵まれた女よ，おめでとう」と告知する場面です。

また音楽の方も私自身は門外漢ですが，シューベルトやグノーの作曲した「アベマリア」は有名ですし，聞いて感動しますね。神の独り子を授かることになるマリアに対して，天使が「マリアよ，おめでとう」と言った言葉が「アベマリア」ですね。日本でもよく歌われるのですが，しかし，内村鑑三によると，マリアの子であるイエスの誕生の本当の意味を理解していないと，この歌は歌えないとの厳しい説もあります。

　また日本では，この時期に音楽の世界でヘンデルのメサイアやベートーベンの第9交響曲が演奏され厳粛な気分に誘ってくれます。ご承知のように，第9交響曲は，聖書の言葉を綴ってイエスの生涯を歌いますし，特にその最終楽章でシラーの詩によって，神の偉大な創造の業を讃える合唱がとても感動的ですね。

　日本ではそれを歌う方々の多くはクリスチャンではないそうで，ちょっと残念な気もしますが，でも多くの人たちの声によって神が賛美されることはとてもいいと思います。日本は第9交響曲の演奏回数が世界一多い国だそうですね。歌う方々が，いつの日か，音楽を通して，また歌っている歌詞を通して，キリスト教

の本当の意味に触れて，教会の門を叩く日があること
を願っています。

　第3のクリスマス風景は，神の言葉で成り立ってい
ると言われる聖書に添うて祝われるものです。外国で
も日本でも，教会を中心に，教会の中で厳粛にそして
喜びをもって行われます。クリスマスという言葉は，
キリスト礼拝という意味ですね。マスが礼拝で，カト
リック教会ではミサと呼びます。

❖聖書にあるイエス誕生物語

　聖書による誕生物語は，不思議な出来事に包まれて
います。

　イエスは神の子でありながら，それにふさわしい豪
華な宮殿等で生まれたのでなく，なんと家畜小屋の
中で生まれ，そこの飼い葉桶の中に布にくるまれてい
たといいます。人間の生きる空間で最も汚れた場所で
生まれたことで，極限状況の中からその生涯がスター
トしたのは，とても象徴的だと思います。

　それは，この世の中で嫌がられ，虐げられ，見捨
てられた人たち，例えば，貧乏人，病人，取税人＊2，
孤独な女性たち，と親身に関わることになるイエスの

生涯を暗示する出来事のように思われます。

　また，イエスの誕生は，二つのグループに知らされました。

　一方は，寒空の下で羊の番をしていた羊飼いたちで，彼らは学問もなく，多分文字も読めない人たちだったと思います。でも彼らは，清い心，暖かい心の持ち主だったのではないか，と思います。そんな彼らに天使の知らせが届いたのです。神様へ近づくのは，学問のあるなしに関係ないことを示していると思います。

　もう一方では当時の学問を代表する占星術，星占いの学者たち３人にもイエスの誕生が知らされました。そこで彼らは，星に導かれて長い旅をし，ベツレヘム*3にたどり着いて，神様からこの世に遣わされた救い主，つまり赤ん坊のイエスに相見え，礼拝を捧げたのです。これも象徴的で，学問によっても神を知

---

　*2　聖書用語で税金を取り立てる役職。ユダヤ人でありながら外
　　　国人のために働くために嫌われ，救いの道が閉ざされた罪人
　　　（つみびと）とみなされていた。「マタイの福音書」のマタイは
　　　キリストの弟子で，取税人だった。
　*3　パレスチナのヨルダン川西岸地区にある，キリスト生誕の地。
　　　古代イスラエルのダビデ王（20頁参照）もこの地で生まれた
　　　と言われている。

2013年12月7日

ることが出来ることを示しています。

　つまり私たちは，ハート，すなわち心によっても，またブレイン，すなわち知識や頭脳によっても，神に近づくことができると教えられているように思います。私たちのまわりでも，本を読み，知識を深める中でイエスに出会う人，心の葛藤や逆に喜びの中で，出会う人等，いろんなパターンがあるように思います。

❖最も残酷な十字架刑で生涯を終えたイエス

　他方，この世の生涯を終えたイエスの最後の場面は十字架刑でした。昔から処刑にはいろんな方法，種類があります。銃殺，絞首刑，斬首（ギロチン），電気椅子などがありますが，わが国では，江戸時代に悪税に苦しむ住民を代表して佐倉惣五郎[＊4]が将軍に直訴したところ，捕らえられて火あぶりの刑に処せられたといわれます。最近，国会議員の山本太郎さんが原発事故で苦しむ住民のことを訴える手紙を天皇に手渡したため，激しい非難攻撃やヘイトスピーチを受けました。改めてこの国の怖さを感じますし，世が世であれば，彼は生きていなかったでしょう。

　さて，その十字架刑は，打ち付けられた釘の辺りか

ら血が少しずつ流れ出すので，もがき苦しむさまは尋常ではないそうで，これはいろんな処刑の中で最も残酷な方法だといわれます。

　こうしてイエスは，生まれる時にも最も粗末な場所でしたが，処刑もまた最も残酷な方法で行われたので，生と死の両面で，人間の不幸の極限を体験されたことになります。

❖戦争がない状態は，平和とイコールではない

　今日の聖書の箇所に戻りますと，特に 14 節が大事ではないかと思います。「実に，キリストはわたしたちの平和であります。二つのものを一つにし，御自分の肉において敵意という隔ての壁を取り壊し，規則と戒律ずくめの律法を廃棄されました。」とあります＊5。

　＊4　重税に苦しむ農民のため将軍に直訴し，妻とともにはりつけにされたという人物だが，史実かどうかははっきりしていない。講談，歌舞伎などで広く知られるようになった。
　＊5　エフェソの信徒への手紙第 2 章 14 〜 16 節を引用する。「14 実に，キリストはわたしたちの平和であります。二つのものを一つにし，御自分の肉において敵意という隔ての壁を取り壊し，15 規則と戒律ずくめの律法を廃棄されました。こうしてキリストは，双方を御自分において一人の新しい人に造り上げて平和を実現し，16 十字架を通して，両者を一つの体として神と和解させ，十字架によって敵意を滅ぼされました。」

2013年12月7日

讃美歌114番には，「主イエスを平和の君とあがめ，あまねく世の民，高く歌わん」という歌詞がありますが，クリスマスこそは，そのイエスを平和の君として，私たちの心の中に，家庭に，教会に，そして社会全体にお迎えする時です。ピースこそクリスマスのキーワードです。

では平和とは何でしょうか。単に戦争のない状態がイコール平和ではないのです。かつて平和学の世界的権威であるスウェーデンのガルトゥング博士[6]が沖縄に見えた時，その講演を聴きましたが，基地や軍隊の存在の故に人権が踏みにじられ，女性や弱者がさまざまな被害にあっても救済されず放置されているような社会は，戦争そのものはなくても，「構造的暴力」が存在するために平和とはいえない，とのことでした。

聖書的に考えますと，人間同士で平和と思っていても，神との関係が正しく確立していないかぎり，本当の平和ではない，ということになります。

今日の聖書のもう一つの大事な点は，本来一つになるべきものが二つになっている状態も平和とはいえず，その根底には敵意が宿るとされています。個人で

も国家でも，一方が敵意をもつ，あるいは敵視すると，相手の方も本当の敵に変わってしまいます。つまり敵意や敵視は，敵をつくり出すので危険です。キリストは，その敵意を滅ぼしたと書かれています。

❖真の歴史は世界と共有されるもの

　今，私たちの国では，かつて侵略をしたり，植民地支配をして苦しめたはずの中国や朝鮮半島の国々に対し，政治が主導して敵意をかき立てている感じがあります。このままでいくと，再び敵愾心（てきがいしん）が高まっていき，戦争になるかもしれないと心配しています。その場合，強大な軍事基地のある沖縄がターゲットになり，再び戦場になる可能性が高いと思われます。
　さらに，これと連動して，学校教育も政府主導へ舵（かじ）

＊6　冷戦時代に，貧困や差別など構造的暴力のない状態を「積極的平和」と定義した平和学の第一人者。この講話の2年後，ヨハン・ガルトゥング氏は19年ぶりに来沖し講演会を開いている。「ガルトゥング氏は欧州連合（EU）や東南アジア諸国連合（ASEAN）などを例に，日本や中国，韓国，北朝鮮，ロシア，台湾の6カ国・地域で北東アジア共同体をつくり，本部を沖縄に置くべきだと提言した」（『沖縄タイムス』2015年8月23日付）。講演会の日，ガルトゥング氏は辺野古にも足を運んでいる。

を切っていますし、教科書なども検定制から戦争中と同じように実質的に国定制へと危険な方向転換をしつつあります。

　国民が自分の国の歴史を正しく理解し、継承していくことはとても大事です。その歴史について、入江昭先生という専門家の大事な指摘があります。先生は、ハーバード大学の歴史学部長や全米歴史学会会長も歴任された有名な学者ですが、私はかつて琉球大学でその講演をお聴きし、お書きになったものを読んだりして感銘を受けました。先生によれば、真の歴史とは、一国だけでしか通用しないものは駄目で、世界の人々に共有される内容になっていないといけない、と述べていました。

　実際にドイツではその努力をして成功しましたが、日本は独自の歴史観にこだわって、周辺国との緊張を高め、孤立しつつあるように見えます。つまり、天皇を現人神として絶対化し、アメリカやイギリスを鬼畜として、国民を戦争に駆り立てた戦前戦中と似たようなメンタリティーに誘導されつつあるのではないか、と心配しています。

❖イエスのスピリットを学び，その生誕を祝う

クリスマスは，先に見たように，この世でさまざまに受け止められ，祝われます。でも最も大事なことは，それがイエスのご誕生を祝う日であり，そのスピリットは平和（peace）である，つまりイエスこそは平和の君であって，隔(へだ)ての壁*7を取り去って下さる救世主であることをしっかり心に刻むことだと思います。

さらに，イエスは，マタイ福音書(ふくいんしょ)第5章9節で「平和を実現する人々は幸いである。彼らは神の子と呼ばれる。」と言われました。当時神の子と呼ばれたのは，地上最高の権力者とされたローマの皇帝だけでしたから，イエスの言葉こそは，平和のために働く人たちへの最高の賛辞であったわけです。私たちもそれぞれの持ち場，立場でpeacemakerとしての役割を果たしていくことを今年のクリスマスの決心にしたいと願っています。

---

*7　エフェソの信徒への手紙第2章14節の「隔ての中垣（なかがき）」をこのように訳する聖書も多い。

2013年12月7日

「剣をさやに納めなさい」

武器で平和は来ない

マタイによる福音書 第 26 章

47 イエスがまだ話しておられると，十二人の一人
であるユダがやって来た。祭司長たちや民の長
老たちの遣わした大勢の群衆も，剣や棒とを持
って一緒に来た。

48 イエスを裏切ろうとしていたユダは，「わたしが
接吻するのが，その人だ。それを捕まえろ」と，
前もって合図を決めていた。

49 ユダはすぐイエスに近寄り，「先生，こんばんは」
と言って接吻した。

50 イエスは，「友よ，しようとしていることをす
るがよい」と言われた。すると人々は進み寄り，
イエスに手をかけて捕らえた。

51 そのとき，イエスと一緒にいた者の一人が，手
を伸ばして剣を抜き，大祭司の手下に打ちかか

って，片方の耳を切り落した。

52 そこで，イエスは言われた。「剣をさやに納めなさい。剣を取る者は皆，剣で滅びる。

❖週の初め 魂に栄養を

　今朝は新年度2回目の月曜礼拝ですが，新入生の皆さんも少なからずいることでしょう。慣れるまでは緊張するかもしれませんが，どうかこの時間を大切にしてください。

　私たちの学院は，その名の通りキリスト教をベースに建学され，また教育が行われています。その具体的な場面がこの礼拝であり，1週間のすべての活動の出発点として，ここで魂の栄養分をしっかり吸収してほしいのです。

❖エルサレム入城にちなんだ「シュロの日曜日」

　さて，今日の聖書の箇所は，マタイ福音書第26章47節から52節までです。異文化理解にも役立ちますので，少し歴史的な背景に触れておきます。

　私たちは，カレンダーに従って日々生活していま

2014年4月14日

すが，キリスト教はやや特別なカレンダーを持っています。教会歴と呼び，それは世界共通の西暦をベースにしますが，西暦はキリスト誕生の前と後で，B．C．とA．D．に大きく分けられますね。今年は，元号では平成26年ですが，西暦でいうとA．D．2014年ですね。A．D．とはラテン語でannno domini，つまり主の年，キリスト誕生から数えて2014年目という意味です。B．C．は，Before Christ，キリスト誕生前となります。その教会歴の中に，イエス・キリストが蘇られた復活祭であるイースターやクリスマス等があります。

　今年のイースターは，4月20日，来週の日曜日になります。それからさかのぼって6週間は，受難週（レント）と呼んで，クリスチャンはキリストの十字架への苦難の道を思い起こしつつ，お祝い事や，派手な服装は避けて静かに過ごします。

　今週は，その受難節の最後の週に当たります。昨日はシュロの日曜日，英語ではPalm Sundayとよび，アメリカの教会等では，礼拝堂にシュロの葉を敷いて礼拝するところもありますが，それは今から2千年前，イエス・キリストが群衆の歓呼の声で迎えられて

エルサレム入城をした出来事にちなんで行われる行事です。それから1週間も経たないうちにその群衆は，180度態度を変えてイエスを十字架につけよ，と叫ぶことになるのです。

　今日の聖書の箇所は，そんな背景の中での出来事です。

❖ユダの裏切りとイエスの復活

　この季節のエルサレムの街は，ちょうど春先で各地に散らばったユダヤ人たちが巡礼のために訪れるので，普段は20万人くらいの人口が一気にその10倍くらいにふくれあがるそうです。治安も悪くなるので，警備のためにローマの総督も駐在地であるカイザリアから約100キロの道を軍隊を引き連れて，エルサレムに駐屯していたのです。

　その頃，イエスの弟子の一人であるユダが，祭司長たちと取引をして，銀貨30枚でイエスの居場所を教えて逮捕させる手はずを整えました。他方，イエスは12人の弟子たちと一緒にユダヤ教の過ぎ越しの食事，つまり最後の晩餐をともにし，そこでユダの裏切りと愛弟子ペテロが3度イエスのことは知らないと否定す

ることも予告しました。そして最も大事な預言は，イエスご自身の死と復活のことでしたが，弟子たちはその意味が分からなかったようです。

その後，イエスはゲッセマネの園で祈りを捧げたあと，弟子たちのところへ戻ったところ，彼らは眠りこけていました。そこへユダがイエスに近づき，打ち合わせ通りキスをしてそれがイエスであることを知らせます。すると大祭司や群衆はどっとイエスを捕らえようと剣や棒を持って押し掛けますが，弟子のペテロが剣を抜いて相手の耳を切り落とします。

するとイエスは「剣をさやに納めなさい。剣をとる者は，剣で滅びる」という有名な言葉で戒められました。その後イエスは捕らえられて裁きを受け，群衆の「十字架につけよ」という声に押されるまま，十字架の刑に処せられたのでした。その罪状書きには「ユダヤ人の王，自称神の子」とされました。

墓に葬られましたが，それから3日目に預言通り蘇って弟子たちにその姿を現したのです。それがイースターの出来事になります。

104

❖「非武」が信じられなかったナポレオン

　今日の箇所（かしょ）で，中心となる教えは，「剣をさやに納めなさい，剣をとる者は剣で滅びる」というイエスの言葉です。この「剣」という言葉は，単なる武器としての剣のみを指すのではなくあらゆる武力や暴力を意味し，これを否定する先の教えは，キリスト教の平和主義を表していると理解されています。これに関連する二つの話をいたします。

　第1に，かつて琉球王国は，万国津梁（ばんこくしんりょう）の精神により，専門の歴史研究者が「非武の文化」（absence of militarism）と呼ぶ特徴をもっていましたが，これを信じなかったナポレオン＊1の話は有名です。

　ナポレオンは，今から約200年前の1815年にベルギー中部の村，Waterloo で大敗北の末，大西洋上のセントヘレナ島へ流されましたが，そこで彼は戦さ（いく）

＊1　ナポレオン・ボナパルト。1769 〜 1821 年。フランス革命に参加し 1804 年にフランス皇帝となる。その後各国と戦闘を重ねイギリスを除く全ヨーロッパをほぼ制圧したが，モスクワ遠征失敗などで退位，エルバ島に流される。退位翌年の 1815 年に帰国し再び皇帝となるが，ワーテルローの戦いに敗れ失脚，「百日天下」に終わり，セントヘレナ島に幽閉され没した。

2014年4月14日

を振り返ってこう言ったそうです。「自分は，戦いに敗れた。人生にも敗れた。いまこの私のために死んでくれる人は一人もいない。しかし，ナザレのイエスのためなら何千万という人たちが喜んで死んでいったし，これからも死ぬだろう」と。剣をとって剣に滅びた者の哀れな心境だったといえます。

そこへイギリス海軍の艦長バジル・ホールが訪ねて来て，彼が実際に旅をして来た琉球王国について，武器のない平和愛好国として話をしたのを聞いた時，ナポレオンは，この世に武器のない国などあるはずがない，それは大砲をもってないという意味だろう，といって納得しなかったそうです。

武器が完全にゼロだったとは思えませんが，私たちが誇ってよい琉球の歴史です。現代史専門の加藤陽子教授は，琉球の対中国の朝貢関係（貢物を捧げ，友好を維持する）の仕組みを極めて安価な安全保障装置だったとポジティブに評価しています[*2]。

❖銃社会で戦争が続く国・アメリカ

第2に，アメリカの話になります。アメリカはキリスト教国ですが，反面では銃社会であり，武器を持つ

権利が連邦憲法の修正2条で保障されています。その結果，軍隊を別にして，3億余りの人口とほぼ同じ数の銃があるそうです。

　歴史的にも銃による犠牲者が少なくありませんでした。リンカーン，ケネデイー，キング牧師等が銃で暗殺されましたし，2012年のクリスマスの頃，コネチカット州の小学校で銃の乱射事件で，26人の生徒達が犠牲になりました。

　さらに，国家レベルでは，第2次大戦後も朝鮮，ベトナム，イラク，アフガニスタン等で，多くの犠牲者を出しながらもアメリカは戦争をする国であり続けています。そしてその度に，沖縄がその足場とされ，大きな犠牲を強いられてきました。

　オバマ大統領が就任前に出した「合衆国再生」という本では，アメリカがイラクでドン・キホーテの役をしている，と批判して多くの共感を呼びましたが，就任後の言動はかなりトーンダウンしています。

　私自身の経験を付け加えますと，1964年に初めて

＊2　加藤陽子著『それでも日本人は「戦争」を選んだ』（岩波書店，2010年）90〜91頁。著者は現在東京大学大学院教授。同書は新潮文庫にもなっている。

2014年4月14日

留学したのは，テキサス州のダラスという街でした。大学周辺は静かな住宅街で庭の芝生が何処もきれいで，ついそこに足を踏み入れたくなったりしましたが，大学のアドバイザーから厳しく注意されたのは，どんなことがあっても，他人の庭や屋敷に入ってはいけない，それは不法侵入（trespass）となって発砲されても文句が言えないとのことでした。

　銃社会の厳しい掟を知らされました。個人，社会，国家等，すべてのレベルで武器を所有したり，使用したりするのが当たり前になっているアメリカにとって，最も必要なのは，今日の聖書の言葉ではないか，と思います。

❖平和憲法の原点と沖縄の経験

　最後に，法律の世界の話になりますが，わが国の憲法とユネスコ憲章にふれます。過去にわが国の引き起こした戦争の過ちを反省し，大きな犠牲を強いた近隣諸国への平和の誓いをこめて現在の憲法が作られました。

　しかし，今，その原点を覆して，世界からも孤立する気配が出て来ました。皆さんも自分の問題として

学習し，考えてほしいと思います。

　平和憲法と軌を一にして，国連のユネスコ憲章があります。その冒頭にこう規定しています。「戦争は人の心の中で生まれるものだから，人の心の中に平和の砦を築かねばならない」と。

　私たちの経験からいえることは，人間の心は武器を手にすることで，簡単に狂ってしまうのではないか，武器を持った時，人間が人間でなくなり相手も滅ぼし，自分も滅ぼされる。つまり武器から平和は生まれない，今日の聖書は，そんな人間の愚かさへの警告と受け止めたい，と思います。

戦さでなく，シャローム（平和）を！
歴史の歯車が逆回転している今だからこそ

テサロニケの信徒への手紙　第 5 章

³ 人々が「無事だ。安全だ」と言っているそのやさきに，突然，破滅が襲うのです。ちょうど妊婦に産みの苦しみがやって来るのと同じで，決してそれから逃れられません。

詩編　第 120 篇

⁵ わたしは不幸なことだ

　　メシェクに宿り，ケダルの天幕の傍らに住むとは

⁶ 平和を憎む者と共に

　　わたしの魂が久しくそこに住むとは。

⁷ 平和をこそ，わたしは語るのに

　　彼らはただ，戦いを語る。

❖巡礼者たちが歌う「詩編」

　まず今日の聖書の箇所ですが，最初のテサロニケの言葉は，不気味ですね。人々が平和だ，安全だといっているその矢先に突然破滅が襲ってくる。それは，ちょうど妊婦に産みの苦しみがやってくるのと同じで，それから逃れることはできない，というのです。これは私自身の戦争体験を思い出させますし，もしかしたらこの国の運命を予告するようにも聞こえますが，この点は後で触れます。

　もう一つの詩編第120篇は，エルサレムへ巡礼する人たちによって歌われた「都のぼりの歌」の一つといわれています[*1]。イスラエルでは，昔から春の過ぎ越しの祭り，夏の7週目の刈り入れの祭り，秋の仮庵の祭りという三大祭りがあって，この時には，国内に住む人たちだけでなく，外国，つまり異邦人の間に住む寄留者，ディアスポラ（パレスチナ以外の地に住むユダヤ人）たちも含めて多くのユダヤ人たちは，エル

　　＊1　新聖書講解シリーズ・旧約聖書第12巻『詩編73—150篇』
　　　　（石黒則年著，いのちのことば社，1988年）331頁より

2014年7月14日

サレムへ巡礼の旅をする風習があったといわれます。特に今日の第120篇は，それぞれの寄留地からエルサレムを目指して出発する時に歌われたもので，その詩の作者は，ダビデだという説が有力のようです。

そこに出てくる人名がありますが，いずれも厄介な人物とされています。つまり「不幸なことだ」と述べて，メシェク（Meshech）とケダル（Kedar）の名が出て来ます。メシェクは，ノアの方舟のノアの子孫で普段は黒海に近い地方に住む商売人ですが，奴隷売買等にも手を出して荒稼ぎをしていたようです。

もう一人のケダルは，シリア砂漠に住む流浪の民で，戦争好きな部族を代表します。この詩は，そのような野蛮なそして戦さ好きの部族の中で暮らす不幸を呪いつつ，神の救いと平和を願い求めてこう歌います。「私は不幸だ。平和を憎む者とともに，私の魂が久しくそこに住むとは。平和こそ私は語るのに，彼らはただ戦さを語る」と。

❖心を打った小学生の平和メッセージ

今，私たちもまた過去の戦さの記憶と，同時に今なお軍事基地の島という現実の間で，戦さの恐怖を断つ

ことが出来ないまま，ダビデのように，神の救いと真
の平和を願い求めて生きているのではないかと思いま
す。

いま，7月ですが，先月の6月は沖縄では「慰霊の
日」を中心に戦争の歴史につながる月，8月は日本全
体にとって，原爆と敗戦という歴史の事実に向き合う
月であり，それらに挟まれて7月もまた戦争と平和の
課題を考えさせられる月だと思います。

今年も摩文仁では，戦没者追悼式が行われました
が，総理や県知事のスピーチよりも私たちの心を打っ
たのは，八重山の小学校3年生・増田君の「平和の
発信」というメッセージでした＊2。「国と国のけんか
（つまり，戦争）への疑問」と「世界は手をつなぎ合え
る」という平和への願いが鮮やかに込められていたか

＊2　2014年6月23日の沖縄戦全戦没者追悼式で朗読された「平
　　和の詩」は，石垣市立真喜良小学校3年，増田健琉（たける）
　　君の「空はつながっている」。その一部を引用すると，「せんそ
　　うは国と国のけんか／ぼくがお兄ちゃんと仲良くして／友だち
　　みんなともきょう力して／お父さんとお母さんの言う事をきい
　　て／先生の教えをしっかりまもる／そうしたら／せんそうがな
　　くなるのかな（中略）きっと／せかいは手をつなぎ合える／青
　　い空の下で話し合える／えがおとえがおでわかり合える／思い
　　やりの心でつうじ合える／分け合う心でいたわり合える／平和
　　をねがう心で地球はうるおえる」

らです。

　私たちは，原点を忘れてはならないと思います。原点とは，今から69年前にこの沖縄で鉄の暴風が吹き荒れ，大きな犠牲を出したことと，生き残って今も身体と心の傷の癒えない人たちが多くいることです。

❖「集団自決」を体験された元学長・金城重明先生

　1945年の3月末に，渡嘉敷島でのいわゆる「集団自決」を体験された本学院元学長の金城重明先生のことは，よくご存知でしょうが，去る6月19日の朝日新聞で先生のことがあらためてとり上げられ，全国で報道されました。

　先生は沖縄戦当時，16歳になったばかりの少年でしたが，普段から皇民化教育で完全にマインドコントロールされ，「生きて虜囚の辱めを受けず」，つまり生きて敵の捕虜になるくらいなら自殺せよ，と教えこまれたのです。3月27日の米軍上陸の翌日に，日本軍から配られた手榴弾に込められた自決のメッセージに忠実に従い，愛するが故に自分の親兄弟を手にかけて，日頃からの教えをそのまま実行したのでした。

　そして友人とどうせ死ぬなら敵陣に切り込んで死の

うと決め，歩き始めた時，全員自決したはずの日本軍が生き残っているのを見て，驚き，不信のどん底へつき落とされました。こうして，同じ日に集団自決で犠牲になった渡嘉敷島の住民の数は300人以上だったそうです。

　金城先生は，戦後，癒えることのない苦しみと戦う中で聖書にふれ，イエス・キリストに出会うことになりましたが，そんなご自分の体験をまとめて『集団自決を心に刻んで』という本を1995年に出版されました。この本は皆さんが課題図書として読んだはずです。その中に書かれたある出来事を私は忘れることが出来ません。それは今日にもあてはまる貴重な教訓をふくんでいるからです。

❖軍隊が駐留しなかった島

　それは慶良間諸島の東側，つまり那覇から行くと最初にみえる前島での出来事です。

　そこは今無人島らしいですが，当時は集落があり，渡嘉敷国民学校の分校もありました。その分校には比嘉儀清という校長先生が赴任していましたが，ある日，日本軍の将校たちが島にやって来て測量や調査を

始めました。比嘉校長は，何のための調査ですか，と聞いたところ，一個小隊の軍隊を配備するための調査であり，それは住民を守るためだとの答えでした。

しかし，自分も軍隊の経験があるので，比嘉校長は，こう言ってねばりました。「兵隊がいると敵の兵隊がやって来て戦いが始まる。すると住民の中に死者が出る。日本の軍隊がいないほうが住民は死ぬ機会が少なくなると思います」と。すると，その将校は，顔を真っ赤にして怒り「貴様は何を言うか，貴様は反戦思想の持ち主か」と詰め寄ったといいます。しかし比嘉校長は，殺されるかもしれないと覚悟しつつ，住民の命を守るため日本軍の島への駐留を断念してもらおうと，必死に食い下がった結果，ついにその島には日本軍は駐留しなかったのです。

その後，米軍は上陸しましたが，日本軍がいなかったので，戦闘は行われず，戦死者も「集団自決」もなく，その島の住民たちは，ほぼ無事に戦争の終わりを迎えたのでした。

300人余の犠牲者を出した隣の渡嘉敷島とは，全く対照的でした。日本軍がいてくれると安心というのが，当時の住民達の気持ちでしたが，結果は逆でし

た。

❖相手からみれば脅威

　もう一つの例を紹介します。それは本学からも見える津堅島（つけんじま）の話です。

　米軍が中城湾（なかぐすくわん）から上陸してくるのを撃退するために，その島には大砲の陣地が作られ，日本軍が配備されました。しかし，沖縄戦が始まると，その陣地は米軍にねらわれ，猛攻撃を受け，多くの犠牲者を出したのです。

　沖縄戦の大事な教訓は，日本軍がいるとそこが相手の攻撃のターゲットになり，多くの住民も犠牲になったということだと思います。

　昔の日本軍と同じように，今，沖縄本島だけでなく，先島にも自衛隊が配備されようとしており，それを歓迎する人たちがいます。沖縄全体で約1万人の自衛隊と3万人の米軍がいるそうです。これは相手側から見ると，大きな脅威（きょうい）に映り，過去の歴史を忘れた日本がまたも戦争を仕掛けるのではないかと警戒心を生むはずです。そして仮想敵国とされた国からは，最初の攻撃目標，いわゆる primary target とされるかもし

2014年7月14日

れない。

　軍事外交の専門家で，柳沢協二さんという方がいます。外務官僚出身でマスコミにもよく名前が出る人ですが，その柳沢さんによれば，日本が敵視している中国は沖縄の状態をよく知っていて，もし戦争になれば，中国から核を搭載したミサイル3発で沖縄の軍事基地はすべて破壊され，県民もほぼ全滅する可能性があると言います。おまけに，秒速5キロという猛烈な早さで飛んでくるミサイルを確実に撃ち落とす技術はまだ開発されてないと言われます。

　私たちはそんなことを考えもせず，毎日の生活に追われていますが，この状況は私自身の戦争体験と重なってきます。

❖突然街が戦場になってしまった

　沖縄戦の発端となったのが，今から70年前，すなわち1944年に起きた10・10空襲*3でしたが，私自身は那覇市の若狭町でそれを体験しました。自分にとってこれほど衝撃的な戦さの体験はないですし，どうしても語り続けなくてはとの思いがあって，何度も話しています。

当時小学校３年生で，日本がアメリカやイギリスを相手に戦争をしていることはよく知っていましたが，いつも勝ち戦（いくさ）と聞かされていたので，戦争が身近に迫っているとの実感は全くなく，ほんとに先ほどの聖書のように，「妊婦の産みの苦しみと同じように」戦さ（いくさ）が襲ってきました。

　その日の朝，起きてみたら那覇の街全体が戦場になっていましたし，朝から米軍機による波状攻撃で，爆弾，機銃掃射（きじゅうそうしゃ），焼夷弾（しょういだん）が投下され，防空壕（ぼうくうごう）の中で私たち家族５人は息を潜（ひそ）めたまま，生きた心地がしなかったのです。

❖戦争を知らない内閣が容認した集団的自衛権

　今や，戦争体験者もだんだん減って，戦争の怖さを知らず，戦争を簡単に考える世代が主流となっています。例えば，今，安倍内閣に19人の閣僚がいますが，総理はじめ，戦争体験者が一人もいないのです。最年長である麻生（あそう）副総理でさえ，私より４歳ほど年下で，敗戦の時，小学校に上がるか上がらないか，という年

　　＊３　68頁参照。

2014年7月14日

Ⅸ　戦さでなく，シャローム（平和）を！　　　**119**

齢だったはずです。つまり，戦争の恐ろしさを知らない人たちがこの国の政治を行っていることが私には恐ろしい。

今，多くの専門家が憲法違反と批判する集団的自衛権[*4]が実際に行使されると，自衛隊がアメリカ軍と一緒に海外で血を流すことになることが予想されますが，一人でも戦死者が出ると，多分，自衛隊への志願者が激減して，次は徴兵制[*5]への移行となると思われます。男子学生の皆さんや女子学生の恋人のところへ戦前と同じように召集令状（昔は赤紙と言いました）が来て，死の戦場へ駆り出されていくかもしれません。

❖川平清さんが引用した阿波根昌鴻さんの言葉

さて，沖縄は戦時中も戦後も，そして今に至るまで，軍事基地と隣り合わせの生活を強いられてきました。60年代に，伊江島で米軍による大規模な軍用地接収が行われたのは，よく知られています。これに非暴力で立ち向かったクリスチャンのリーダー，阿波根昌鴻[*6]さんのことをご存知でしょうね。

今，平和憲法が葬られ，戦時中のような問答無用な

国へと突き進みつつある状況の中で，去る4月末に東京で国家晩餐祈祷会という集会があり，そこで川平清さんが祈りの中で阿波根昌鴻さんに触れています。

川平さんは，以前本学院の副理事長や，昭和女子大学の副学長を務めた方で，最近まで東京沖縄県人会の会長をしていました。タレントとして活躍中の川平慈英，慈温（ジョン・カビラ）君らの父親ですが，川平さんは，その祈祷会で，沖縄の辺野古に基地を作る事がいかに大きな罪であり，恥であるかを強調した祈りでした。

その中で先に触れた阿波根昌鴻さんの言葉を引用しています。つまり「キリスト者は，聖書，讃美歌も大

＊4　同盟国などが攻撃されたときに自国への攻撃とみなし反撃できる権利。日本では行使できないという憲法解釈であったが，2014年7月に安倍内閣が憲法上可能とする解釈の変更を閣議決定した。
＊5　国家が強制的に国民を軍隊に入隊させる制度。日本では1873年（明治6年）に始まり1945年に廃止。アメリカでは1973年に廃止され，現在は志願制。大学の奨学金を得られるなどの制度があることから貧困層や移民の入隊が増えているという指摘もある。徴兵制を採用している国はスイス，韓国，イスラエルなど50カ国以上。
＊6　1901〜2002年。伊江島での強制的な土地接収に対して非暴力の抵抗を続けた。その思想・言動で沖縄の反戦・基地撤去闘争のシンボル的存在だった。

2014年7月14日

事だが，政治，経済，歴史，哲学，法律，そのすべて
を勉強しなければキリスト者の資格はない」という言
葉です。

　今，残念ながら，日本のキリスト者の多くが，信仰
と社会的問題は関係ないという姿勢で，集団的自衛権
を軸に風雲急を告げている政治の動きや沖縄の現状
に無関心になっている中で，川平さんの祈りこそは，
その状況への警鐘といえる内容だと思います。

❖辺野古新基地が完成したら

　こうして，いま日本全体が，平和憲法の体制から，
戦前戦中に向かって歴史の歯車が逆に回り出していま
す。少し専門的な表現になりますが，この国が法治国
家から人治国家（中国や北朝鮮等と同じ）へシフト，す
なわち法の支配から人の支配へ転換しつつあるといえ
そうです。

　沖縄では，辺野古に，莫大な国家予算*7をつぎ込
んで，耐用年数200年以上という恒久的な軍事基地
が作られようとしています。戦後，沖縄の基地はほと
んど強制的に作られて来ましたが，辺野古の場合，初
めて知事承認（むろん政府の圧力が決定的に大きかった）

による住民合意という形をとって作られる米軍基地だと言われています。

　完成したら，事故率の高いオスプレイ等も配備され，訓練が実施されますが，合意したということは，そこで今後起きる事件，事故がどんなに重大であっても，異議申し立てが出来なくなるという意味を持ちます。また相手国のターゲットになる危険も飛躍的に高まるはずです。それでいいのか，と現実は我々に問いかけています。

❖聖書の教えに立ち返る

　ここで聖書に戻ると，私たちが「無事だ，安全だ」と思っている間に，戦争の準備が着々と進み，突然，破滅が襲ってくるかもしれないのです。パウロがローマの信徒への手紙第3章16〜18節で告げたつぎの言葉も迫ってきます。「その道には破壊と悲惨がある。彼らは平和の道を知らない。彼らの目には神への畏<small>おそ</small>れがない。」

　　＊7　本講話時には5千億円との指摘があったが，2018年11月の
　　　　政府との集中協議で，沖縄県は完成までに13年，費用は最大
　　　　2兆5500億円かかるとの試算を出した。

2014年7月14日

今の状況は，私たちに，peacemaker，つまり「平和をつくり出す使命」の大事さをあらためて認識させます。そして今必要なことは，周辺の国々と戦さの危険を高めるのでなく，イエスからのメッセージである「剣を取る者は皆，剣で滅びる」（マタイによる福音書26：52），そして「あなたがたは敵を愛しなさい」（ルカによる福音書6：35）という教えに立ち返ることだと思います。

X 2014 年 10 月 20 日（月曜礼拝）

平和の原点と現点

エルサレムそして沖縄

イザヤ書 第2章

1 アモツの子イザヤが，ユダとエルサレムについて
幻に見たこと。

2 終りの日に
主の神殿の山は，山々の頭（かしら）として堅（かた）く立ち
どの峰よりも高くそびえる。
国々はこぞって大河のようにそこに向かい

3 多くの民が来て言う。
「主の山に登り，ヤコブの神の家へ行こう。
主はわたしたちに道を示される。
わたしたちはその道を歩もう」と。
主の教えはシオンから
御言葉（みことば）はエルサレムから出る。

4 主は国々の争いを裁き，多くの民を戒（いまし）められる。
彼らは剣（つるぎ）を打ち直して鋤（すき）とし

126

槍を打ち直して鎌とする。

国は国に向かって剣を上げず

もはや戦うことを学ばない。

₅ヤコブの家よ，主の光の中を歩もう。

❖戦争への反省が原点・起点

今朝は聖書の背景を念頭に置きながら，平和の原点（original position）と現点（current point）という題で，歴史を遡り，そして現状に目を向けてみたいと思います。

今日の聖書の箇所をもう一度，２章３節の途中から見てみますと，こう書かれています。「主の教えはシオンから，御言葉はエルサレムから出る。主は国々の争いを裁き，多くの民を戒められる。彼らは剣を打ち直して鋤とし，槍を打ち直して鎌とする。国は国に向かって剣を上げず，もはや戦うことを学ばない。ヤコブの家よ，主の光の中を歩もう」。

私たちの国は，戦争への反省を起点あるいは原点（original position）として，一切の戦争と軍備を否定す

る憲法，とくにその9条を大事にして来ました。でも残念ながら，それを否定する政治の流れが強まる中，その9条にノーベル賞を，という運動が展開されましたが，残念ながら受賞には至りませんでした。しかし，その代わりパキスタンの17歳の少女マララさんの受賞[*1]となり，世界中に賞賛の声が広がっています。

❖平和の原点の街，エルサレム

さて，今朝の聖書の箇所(かしょ)は，預言者イザヤがエルサレムについて見た夢と平和への希望が記されています。シオンとエルサレムはほぼ同じ意味ですが，一体それはどんな街だったのでしょうか。

紀元前1000年の頃，一人の牧童(ぼくどう)，つまり羊飼いの少年がいましたが，その名をダビデと言いました。旧約聖書に登場する重要人物ですが，彼は武芸や音楽に優れ，めきめきと存在感を高めていき，ついにはユダヤの人々の熱烈な支持で王になり，エルサレム王国を築いたのでした。

しかし，ユダヤの人々は，紀元前600年の頃，隣国バビロニアとの戦争に敗れ，約2万人の人たちが約

千キロ離れたところに強制連行されましたが，半世紀後に釈放されて，故郷のエルサレムへ帰ってきました。

　先ほどの詩編には，その時の喜び，感激とともに，平和の町の復興への志が込められています。実際に，復興はしたが，その後ローマの属国にされるという厳しい歴史もありながら，エルサレムこそは，ユダヤ＝イスラエルの人たちにとって，魂の故郷であり，平和の原点（original position）と呼ぶべき都でした。

❖武力対立が続くガザの現状

　これが2～3千年前の原点でしたが，一足飛びに現在の到達点，つまり現点はどうなっているでしょうか。

　近代ヨーロッパにおける反ユダヤ主義が強まる中，行き場を失ったユダヤの人たちのために，国家を作ることになり，第2次大戦後の1948年にパレスチナの

＊1　2014年のノーベル平和賞は，パキスタンで子どもの教育を受ける権利を訴え続けたマララ・ユスフザイさんが史上最年少で受賞。同年には「憲法9条にノーベル平和賞を」という運動が起こり，同実行委員会は現在でもネット署名を集めている。

2014年10月20日

人たちが住んでいたところへ，エルサレムを首都とするユダヤ人国家，つまり「イスラエル」という国が作られました。

ところが，それがどんどん拡張し始め，パレスチナの人たちの住む地域に食い込み，衝突が始まったのです。特にヨルダン川西岸地区や高い壁で周囲を閉ざされたガザ地区で激しい武力対立が今日まで続いているのはご存知のとおりです。

ガザと言えば，旧約聖書に記された乳と蜜の流れる理想郷カナンの地（出エジプト記3：8）の一角をなし，またサムソンとデリラの物語*2の舞台となったところです（士師記第14〜16章）。

私自身は現在の状況を詳しくは知りませんが，先日，沖縄大学でパレスチナ問題の専門家で，京都大学大学院の岡真理教授による講演会があり，それを聞くことが出来ました。その岡先生によると，最近では，今年7月に51日間に及ぶガザでの戦闘が大きな傷跡を残し，パレスチナ側の戦死者が2168人，そのうち約8割が子どもを含む非戦闘員といわれています。他方，イスラエル側の戦死者は71人だったそうです。

イスラエル国家を支配するイデオロギーは，シオニ

ズムと呼ばれ，もともとパレスチナにユダヤ人国家を建設する政治の主流であり，その特徴は，かなり強力な選民思想と民族主義に立った政治を推進する勢力といわれているようです。

　現在，イスラエルの首相はネタニヤフさんといい，安倍総理とも意気投合の関係にあるそうですが，そのネタニヤフ政権は，パレスチナへの武力攻撃は正しいとの前提で，メデイアや言論界を支配し，世界中にその立場からキャンペーンを展開しているといわれています。この状況は，先ほどの旧約聖書の説く平和の原点とは正反対にみえるし，岡教授は，イスラエルに抵抗しているパレスチナこそは，日米政府の権力支配の下であえぐ沖縄とつながっている，と強調していました。

＊2　サムソンは古代イスラエルの伝説的英雄。愛人デリラにだまされ，怪力の源である髪を切られ，ガザに捕らわれて両目をえぐられるが，神に祈り回復し，宿敵ペリシテ人の神殿を焼き，自らも死んでいく。これを基にしたサン＝サース作曲の同名のオペラがある。士師（しし）とは，神から特別な恩恵を受け，イスラエルを外敵から守った英雄のこと。

2014年10月20日

❖イスラエルの中の良識派に期待

　これらの動きに対し，もう一方では，ユダヤ教本来の教典である「トーラー」に忠実で幅広く民族の垣根を越えた平和主義の伝統に立つ勢力，つまりユダヤ教の一派でありながら，平和志向の良識派グループがあるといわれます。今のところ少数派ですが，いつかこのハト派勢力がイスラエルの政治を動かす時代が来れば，パレスチナとの武力対決も解消されて，エルサレムが再び平和の都になる日が来る，との期待があります。

　イスラエルのテルアビブ大学の歴史学者，シュモロー・サンド教授は，この立場に立って，イスラエルがユダヤ人だけの国家でなく，そこに住むパレスチナ人も含め，すべての市民が等しく権利を保障された民主主義国家であるべきで，その最も現実的な解決策は，イスラエル国家とパレスチナ国家の2国家共存だと述べています[*3]。

　その願いに沿うように，今から2年前の2012年11月4日に開かれた国連総会で，パレスチナに「国連オブザーバー国家」としての地位を承認する決議

が，138対9の多数決で成立しました。その時，パレスチナ代表のアッバス議長は「国連総会はパレスチナ国家に出生証明を与えた」と演説し，各国代表が立ち上がって拍手をしたそうです＊4。

　しかし残念ながら，その後もガザをめぐる武力衝突は止んでいませんが，パレスチナに平和が戻り，エルサレムもまた平和の都として生まれ変わるという希望を捨てるわけにはいかないだろうと思っています。

❖平和求める沖縄で戦争は起こった

　さて我が沖縄は，琉球王朝時代から平和愛好の民とされてきましたが，琉球歴史の研究家であるハワイ大学のウイリアム・リーブラ教授は，琉球の文化的な特徴を「非武の文化」（英語では Absence of militarism）と呼んだそうですし，また15世紀半ばに尚泰久王が作らせたという「万国津梁の鐘」には，武力によらず，友好的な交易によって周辺諸国と平和に共存するという考え方が表現されています。むろん琉球王国に

＊3　『福音と世界』2011年4月号（特集　隔ての壁―パレスチナとイスラエルの今），49頁より
＊4　天木直人氏ツイート，2012年12月1日

2014年10月20日

武器が一切なかったというわけではないはずですが，根底に平和主義がみえるし，大事な遺産といえるでしょう。

　しかし，そんな沖縄が太平洋戦争では，本土防衛の捨て石とされて最後の激戦地となり，20万余の戦死者を出しましたし，戦後も日米両政府から巨大な米軍基地をずっと押し付けられて，沖縄に対する非人間的な扱いが今日も続いています。日米の専門家たちは，沖縄の実態を日米両国の軍事植民地（military colony）だと言っています。オスプレイ等危険な軍用機は飛び交い，その上，辺野古には耐用年数200年以上と言われる恒久的かつ大規模な軍事基地が作られようとしています。

　しかも，その手法は強引で，かつての日本軍や米軍と同じく問答無用といった乱暴さが目立ちます。今や，沖縄に住む者にとって最も現実的な脅威は日本政府と米軍そのものではないか，とさえ思われます。

❖イスラエル同様日本もマスコミ支配

　イスラエルでは，頑（かたく）ななシオニズムに立つ現政権側から強力な情報や言論の発信が全世界に向けて行われ

ていますが，日本でも同じように，政府に同調するマスコミが支配し，抑圧された沖縄の民衆の声や平和を求める動きが国の内外になかなか伝わりにくいです。「国境なき記者団」という組織があって，毎年，世界各国の報道の自由度のランク付けがなされていますが，2013年に日本が53位で，50位の韓国よりも低いのです＊5。やはり日本は報道の自由後進国ですね。

　私たちの実感としても，例えば放送法という法律があって，対立する意見や事実を平等に扱うことを義務づける公正原則（フェアネス・ドクトリン）があるにもかかわらず，それに反して，公共放送が沖縄問題をはじめ，政府に不都合な情報を正確に伝えず，政府寄りに情報統制が行われている印象が強いのです。

　朝日新聞の川柳＊6にこんなのがありました。「ＮＨＫ安倍一族に乗っ取られ」。もう一つの川柳はこうです。「あの国のあの放送が笑えない」。あの国がどこだ

＊5　沖縄タイムス2013年1月1日付記事より。2016，2017年に日本は72位と過去最低の順位に。最新の2019年では67位。

＊6　最初の句は2013年12月28日付，次の句は2014年1月30日付掲載。なお「安倍一族」は森鴎外の小説作品「阿部一族」にかけていると思われる。

2014年10月20日

か分かりますね。私たちにとって，日々のニュースに向き合う時，いかに批判精神が必要なのか，痛感させられます。

❖沖縄から見えるパレスチナ問題

　イスラエルでも，日本でも，伝えられる現状，つまり現点（present position）は，真実から離れ，本当の自由と平和から遠くなりがちです。しかし，たとえ少数であってもいいが，そこに真実を知り，平和を求める声が息づいている限り，希望はあるはずです。

　今日の話は，多分難しかったかも知れませんが，皆さんが沖縄とつながっているといわれるパレスチナの問題に目を向けるきっかけにしてほしい，と願っています。

　エルサレムでも，沖縄でも，ともに「剣を打ち直して鋤となし，…もはや戦うことを学ばない」（イザヤ書第2章4節），文字通りシャローム（平和）の地として，また平和の要石として輝く日を待ち望みたいと思います。

敵意が戦争を招く

本学院の mission と identity を忘れず，
世界へ羽ばたけ！

❖「卒業」には始まりの意味も

　沖縄キリスト教学院の短大及び 4 年制大学，そして大学院を含め，本日晴れてご卒業の皆さんに心からお喜びを申し上げます。おめでとうございます。また，ご多忙な中，ご臨席下さった西原町の上間町長はじめ，来賓，そして卒業生の御父母，御家族のみなさまに，厚くお礼を申し上げます。

　さて，卒業式のことを，英語ではいくつかの表現があって，graduation とか，commencement，あるいは convocation という言葉が浮かびます。とりわけ，commencement という表現は，卒業という意味と同時になにかを始めるという意味もあるようで，とても示唆に富む言葉です。

つまり皆さんには，今日が終わりではなく，何かの始まりという大変チャレンジングな日であるはずです。それは，人生の本番のスタートといっていいでしょう。学生時代は何かと特権や甘えが許されることがあったかと思いますが，これからは一人前の社会人となり，基本的に自己責任の世界へと移行します。同時に主権者としてこの国の政治に関わる権利と義務も本格化します。

❖この国の課題，特に３点

　いま私たちが住んでいるこの国とこの沖縄県の姿を鏡に映してみますと，いろんな事実と課題がみえてきます。

　第１にこの国の教育の貧困が深刻です。その背景として，教育への国家予算が，あまりにも少ないのです。先進30カ国で作っている経済協力開発機構（OECD）がありますが，その中で日本の教育支出は毎年のように最下位です[1]。教育小国なのです。教育こそは国の百年の計に関わるので現状は実に深刻です。

　第２に，教育とは対照的にわが国の軍事支出の方

は，安倍政権の下で世界ランキングでは，アメリカ，中国，イギリスに次いで第4位であり，まぎれもない軍事大国といえます＊2。これが，他国に例のない平和憲法の下での現実です。

第3に，また昨年来問題になった新聞やテレビなど「報道の自由」がかなり低い順位にあります。それは，毎年，「国境なき記者団」というNGOが調査をして結果を公表しますが，かつて日本は11位までいったことがありながら，今からちょうど5年前に起きた東日本大震災以降，順位をどんどん下げはじめ，最新のランキングで，日本のマスコミの報道の自由度は，世界で72位に転落しています＊3。この国の新聞やテレビがいかに真実の報道から遠いか，しっかり認識しておく必要があります（ただし沖縄地元のマスコミは例外です）。

特に公共放送の現状が心配ですが，その経営委員会で昨年まで委員長代行を務めた上村達男さんという早稲田大学の法律の先生がいます。同じ専攻分野なので私は個人的にも存じ上げている人ですが，その上村先生は，「公共放送はどんなことがあっても，時の政治状況に左右されてはならない＊4」と言い残してお辞

めになりました。

その後の経過は心配した通り，政府の意に沿わない放送を不公正として電波を停止するなどという大臣発言まで出ている状況で，大変懸念しています。

❖政治による沖縄の負の現実

次に，私たちの住むこの沖縄県の生活実態を全国各県との比較の中でみると，いくつかのワースト項目があります。例えば，失業率，非正規雇用率，低県民所得，離婚率，それに軍事基地の広さと密度など，いずれも全国トップですが，これらは基本的に政治が作り出した負の現実といえます。

＊1　2015年11月、経済協力開発機構（ＯＥＣＤ）は加盟34カ国の教育費などの調査結果を発表。国内総生産（ＧＤＰ）に占める教育機関への公的支出の割合は，日本は6年連続の最下位となった。翌年は33カ国中32位と最下位を免れたものの，その翌年から2年連続で最下位で，状況は変わっていない。日本は大学教育への家庭の負担が大きいと分析されている。
＊2　国際ジャーナリスト・木村正人氏ヤフーブログ，2014年12月19日配信
＊3　135頁参照。なお，11位だったのは東日本大震災の前年にあたる2010年。
＊4　朝日新聞2015年3月3日付記事より。なお，その後上村達男氏は『ＮＨＫはなぜ，反知性主義に乗っ取られたのか』（東洋経済新聞社，2015年）という本を出版した。

2016年3月16日

これを変えるには，政治に影響を与えるしかありません。それには選挙権を持つ国民が目覚める必要があります。特に皆さんの出番がそこにあります。そういう皆さんに対して，特に本学院の建学のスピリットに立脚したメッセージを送りたいと思います。

❖沖縄キリスト教学院の誕生

この学院は，1957年に生まれましたが，その建学の中心人物が仲里朝章先生*5であることは，よくご存じですね。皆さんには耳にタコができた話でしょうが，私にとっては最後のチャンスなので，あえてまた繰り返しますが，先生は戦前に，東京帝国大学の学生だった頃，洗礼を受けてキリスト者になりました。1939年には郷里沖縄に戻って当時の那覇商業学校の校長になります。

しかし時代は軍国主義の絶頂期で，校長室にも頻繁に憲兵が出入りするなかで，先生は教え子たちに皇民化教育をして，天皇のために命を捧げよという教育をしなくてはなりませんでした。沖縄戦のときは商業学校の約80人の学徒隊とともに，島尻の激戦地にあって，先生ご自身も米軍の艦砲弾の破片を後頭部に受け

て，瀕<ruby>死<rt>ひんし</rt></ruby>の重傷を負いました。そして戦争が終わった時，先生は教え子たちを戦場へ送ったことを悔い，生き残って訪ねてきた彼らに深く頭を垂れて謝罪したそうです。

　同時にこう決心しました。すなわち，先生は，戦争体験を経てこれからの沖縄は，キリスト教精神で教育を受けた若い世代の人たちによって，平和の島として蘇るべき，との大きな夢を描いてこの学院の建学を進め，1957 年に<ruby>首里当蔵<rt>しゅりとうのくら</rt></ruby>の首里教会において，その夢

（左）仲里朝章初代学長。朝４時に起床し校舎の早期実現のため
　　　学校経営のため祈ることを日課とした
（右）旧沖縄キリスト教団当時の首里教会

　＊5　10頁参照。

を実現させ，本学院の誕生となったのであります。

❖必要なのは「本当の良心」

　私自身のことになりますが，1959 年に大学を卒業
して本土から沖縄へ帰った後，首里教会の礼拝に通
い，そこで仲里先生の説教を聞き，また教えを受ける
ことになりました。

　先生の口癖は peacemaker になれ，そして戦場とな
った沖縄の将来は，旧約聖書にある「乳と蜜の流れる
理想郷，カナンの地。現代でいえば，デンマークのよ
うな，平和郷として，蘇るべきだ」と，熱っぽく語
っておられました。こうして，聖書をベースにして，
沖縄と平和に強いこだわりをもっておられました。

　先生は 1973 年に 81 歳で天国へ召されたわけです
が，その直後にお宅へ伺った際，仲里先生の蔵書の
中から私が手にとって見ていた一冊の文庫版を，直子
夫人が「よかったらもらって頂戴」と言って私に下
さいました。それは内村鑑三のエッセイ集で，仲里先
生があちこちに傍線を入れてあり，私はかけがえのな
い宝物として，今も大事にしています。それがこれで
す。

その中で仲里先生が傍線を引かれた部分から１カ所だけ，内村の言葉を紹介します。今から１世紀以上も昔に内村鑑三が述べた言葉は今日のこの国の状況にぴたりと当てはまります。そこで私流に現代語にして皆さんに伝えます。こうです。

　「今や日本が要求するものは，国民の良心の革命である。鈍ってしまった良心では，富も才能も学問も何の役にも立たない。本当の良心を眠りから覚ますことが必要である。そのために，日本国にキリスト教が必

著者が保管している仲里朝章初代学長の蔵書。傍線は仲里氏が引いたもの

要なことは，病人が医者を必要とするよりもっと大である。」*6

　内村の言葉と共に，本学院で学んだ建学の精神をも皆さんの心にしっかり根付かせてほしいと思います。それは仲里先生はじめ歴代の学長の方々に至るまで大事にしてきた価値であり，三つの柱から成り立っています。

　すなわち，第1に沖縄（特にその過去と現状に向き合うこと），第2にキリスト教，第3に平和です。平和は聖書からも沖縄の歴史と現状からも出てきます。本学院ならではの identity と mission を忘れず，一人一人が夢（dream）を抱いて，広い世界へと羽ばたいて下さい。皆さんの前途に神様の守りと祝福をお祈りして，メッセージといたします。

＊6　内村鑑三『内村鑑三随筆集』（岩波文庫）234 頁より。内村
　　鑑三については本書 52 頁参照。

2016年3月16日

あとがき

　文中で，聖書の引用や言及が多々あったが，筆者自身は一信徒に過ぎず，その引用や言及の中で，誤りがないか不安があった。そこで，専門家であり，日頃お世話になっている望月智牧師（日本基督教団沖縄教区志眞志伝道所牧師）にお目を通して頂くこととした。先生は，関西学院大学でキリスト教神学を学ばれた方である。ご多忙な中，快く，これをお引き受け下さり，丁寧に目を通した上，数々のご指摘やアドバイスを頂いたことに厚くお礼を申し上げます。その上，なお間違いがあるとすれば，その責めは当然著者に帰する。

　本書は，前著『異風な目から：折々の思いと言葉を綴って』（2006 年）と同じく，沖縄タイムス社出版部から出版させて頂くこととなったが，今回も同部の友利仁部長による行き届いた配慮を賜ったことに厚くお礼を申し上げる次第である。

（著者紹介）

中原俊明（なかはら　としあき）

1935（昭 10）年，那覇市に生まれる。
1954 年那覇高校卒，1959 年中央大学
法学部法律学科卒，1965 年サザン・メ
ソデイスト大学（テキサス州ダラス市）
ロースクール大学院修了（比較法学修士），1975-6 年コ
ネチカット大学法学部客員研究員（フルブライト FDF）

1959-71 年琉球政府裁判所勤務，1971 〜 2001 年 3 月琉
球大学短大部，法文学部，同大学院にて教育研究に従事
（専攻は商法），同大学名誉教授，2001 年 4 月〜 2006 年
3 月鹿児島県・志學館大学法学部教授，2012 〜 16 年沖
縄キリスト教学院大学 4 代目，同短期大学 9 代目学長を
務める。

主要著書：「米国における企業の社会的責任論と法的課題」
（三省堂，2003 年）／論文「裁判移送問題に見る法文化
摩擦」照屋善彦，山里勝己編「戦後沖縄とアメリカ：異
文化接触の 50 年」沖縄タイムス社，1995 年所収，／エ
ッセイ集「異風な目から：折々の思いと言葉を綴って」
（沖縄タイムス社，2006 年）。

本書（本文，帯）に使用した写真は，57頁をのぞき，
すべて沖縄キリスト教学院提供による

若者へ贈るメッセージ集

──沖縄，キリスト教，平和をベースに──

2020年1月15日　第1刷発行

著　者──中原俊明

発行者──中原俊明

発売元──沖縄タイムス社

　　　　　〒900-8678　那覇市久茂地2-2-2
　　　　　電話／098-860-3591（出版部）

印刷所──平山印刷